RAUL SILVA CASTRO

Correspondiente de la
Real Academia Española

PQ
7084
.S5

ANTOLOGIA CRITICA DEL MODERNISMO HISPANOAMERICANO

1963

LAS AMERICAS PUBLISHING COMPANY

Author: Raul Silva Castro
Title: Antologia Critica del Modernismo
Hispano Americano

Copyright © 1963, by Las Americas Publishing Company

Published by
LAS AMERICAS PUBLISHING COMPANY
152 East 23hd Street, New York 10, N. Y.

First Edition

Manufactured in the United States of America by
ARGENTINA PRESS

SUMARIO

Indices

INTRODUCCION

I

Cuando se publicó *Azul...*, en el mes de julio de 1888, era cónsul de España en Valparaíso don Antonio Alcalá Galiano y Miranda, primo de don Juan Valera. Alcalá Galiano fue quien envió el libro a Valera, acompañado de una carta cuyo texto no se conoce, pero del cual pueden colegirse algunos términos.

Extraordinaria ha sido mi sorpresa —expresaba después Valera— *cuando he sabido que usted, según me aseguran sujetos bien informados, no ha salido de Nicaragua, sino para ir a Chile, en donde reside desde hace dos años a lo más.*

Alguna otra vez repite el escritor español la misma especie, por lo que llegamos a convenir en que era para él caso muy raro que un escritor que tan poco había visto del mundo, escribiese sobre cosas distantes, como, por ejemplo, sobre ambientes de París, que solo podía imaginar. De una conjetura en otra, y basándose ante todo en lo que el libro mismo le sugería, formuló una pregunta que es sumamente reveladora de su estado de espíritu:

¿Cómo, sin el influjo del medio ambiente, ha podido usted asimilarse todos los elementos del espíritu francés, si bien conservando española la forma que aúna y organiza estos elementos, convirtiéndolos en sustancia propia?

Y llegó, en fin, a responderse en una forma harto más detenida:

Veo, pues, que no hay autor en castellano más francés que usted. Y lo digo para afirmar un hecho, sin elogio y sin censura. En todo caso, más bien lo digo como elogio. Yo no quiero que los autores no tengan carácter nacional; pero yo no puedo exigir de usted que sea nicaragüense, porque ni hay ni puede haber aún historia literaria, escuela y tradiciones literarias en Nicaragua. Ni puedo exigir de usted que sea literariamente español, pues ya no lo es políticamente, y está además separado de la madre patria por el Atlántico, y más lejos, en la república donde ha nacido, de la influencia española, que en otras repúblicas hispanoamericanas. Estando así disculpado el galicismo de la mente, es fuerza dar a usted alabanzas a manos llenas por lo perfecto y profundo de ese galicismo; porque el lenguaje persiste español, legítimo y de buena ley, y porque si no tiene usted carácter nacional, posee carácter individual.

Estas palabras, habremos de insistir, escritas por Valera en España, en octubre de 1888, son el origen de varios juicios sobre Rubén Darío que siguen, hasta hoy, inalterables. Uno de ellos el nombre de *galicismo mental,* o de la mente, que hemos visto emplear al escritor español, y que cobra decisiva importancia para juzgar toda su producción. Porque, en realidad, esta inclinación del espíritu de Darío, la de buscar motivos de inspiración en tierras lejanas a la de su nacimiento, y la de buscarlos sobre todo en Francia, no se reduce al *Azul*... y se manifiesta en multitud de composiciones producidas en años siguientes.

Yendo más a los pormenores del caso que tenía a la vista, añadio Valera otras palabras no menos significativas:

Leídas las 132 páginas de Azul..., *lo primero que se nota es que está usted saturado de toda la más flamante literatura francesa. Hugo, Lamartine, Musset, Baudelaire, Leconte de Lisle, Gautier, Bourget, Sully Prudhomme, Daudet, Zola, Barbey d'Aurevilly, Catulo Mendes, Rollinat, Goncourt, Flaubert y todos los demás poetas y novelistas han sido por usted bien estudiados y mejor comprendidos. Y usted no imita a ninguno: ni es usted romántico, ni natu-*

ralista, ni neurótico, ni decadente, ni simbólico, ni parnasiano. Usted lo ha revuelto todo; lo ha puesto a cocer en el alambique de su cerebro, y ha sacado de ello una rara quinta esencia.

Yo no creo que de la mera lectura de *Azul*... pudiese obtener Valera una enumeración como la que contienen estas palabras. Nombres como los de Lamartine y Bourget, por lo menos, no parecen presentes en las influencias francesas que muestra el libro, como tampoco, en mi entender, podría hallarse huella alguna de Rollinat, si bien a este escritor Darío le conocía, estando ya en Chile, como se puede ver en *Obras desconocidas* (p. 69). En cambio, hay algunos que sí actuaron maravillas en el espíritu de Darío, como Hugo, Gautier, Mendes, Goncourt, para citarlos en el mismo orden en que los menciona el crítico, y ello tanto en la producción que tenía a la vista Valera, lograda toda entre 1886 y 1888, como en la anterior al viaje a Chile, por lo que se refiere a Víctor Hugo, producción esta última que el crítico español no conocía en esa fecha.

El galicismo de la mente, cual decía Valera, debe entenderse como una deliberada busca de inspiración en las letras de Francia, a las cuales se concede entonces la primacía en la obtención de ciertos efectos estéticos. Pero este atento mirar a las cosas de Francia había sido precedido, fuera del ámbito literario, por una curiosidad que es característica en el ciudadano medio de los países hispanoamericanos. A este fenómeno se refiere Arturo Torres Rioseco, cuando observa:

Mientras los simbolistas (franceses) sólo representan la decadencia parisiense y el refinamiento poético, los modernistas hispanoamericanos, algunos de ellos finalmente decadentes en su vida e igualmente refinados en sus creaciones artísticas, reflejaban la cultura de un Nuevo Mundo. Conviene destacar una y otra vez que ésta no era una cultura indígena por sus orígenes o por su expresión: era una cultura europea modelada en gran parte bajo la tutela de Francia. La pauta cosmopolita y predominantemente francesa de la cultura hispanoamericana había alcanzado su cenit en el último tercio del siglo XIX. A partir de la época de la independencia, la influencia francesa se había propagado a casi todas las fases de la vida culta: los hogares pudientes estaban abarrotados de muebles, de estatuas y de gabinetes de curiosidades francesas. Todo aquellos que tenían recursos suficientes hacían un viaje a París, y muchas familias de sudamericanos llegaron a residir permanentemente en aquella capital, trágica situación estudiada por el chileno Blest Gana en su novela Los trasplantados (Nueva historia de la gran literatura iberoamericana, *Buenos Aires, 1960, página* 88.).

Esta influencia de los gustos franceses en la sociedad hispanoamericana, tan bien diseñada por Torres Rioseco, en Chile alcanzó en esos días una forma que parecía calculada para inquietar a Rubén Darío. Su amigo Pedro Balmaceda estaba, a la sazón, hechizado por la vida francesa, cuyas principales palpitaciones trataba de seguir al través de sus lecturas; y lo que más le acuciaba era el comprobar que su mala salud le impediría hacer efectivamente el viaje a París, que en aquellos años se juzgaba indispensable para completar la cultura mundana de todo individuo de holgados medios de fortuna. Entonces ocurrió que en las entrevistas nocturnas en el palacio de la Moneda de Santiago, los dos jóvenes se dedicaron no pocas veces a fantasear sobre lo que harían si les fuese dado ir a París, como ambos se proponían hacer. Cuando murió Balmaceda, Rubén Darío evocó este aspecto de sus relaciones con aquel muchacho, diciendo:

Iríamos a París, seríamos amigos de Armand Silvestre, de Daudet, de Catulle Mendes; le preguntaríamos a éste por qué se deja sobre la frente un mechón de su rubia cabellera; oiríamos a Renan en la Sorbona, y trataríamos de ser asiduos contertulios de madama Adam; y escribiríamos libros franceses, eso sí. Haríamos un libro entre los dos, y trabajaríamos porque llevase ilustraciones de Emilio Bayard, o del ex chileno Santiago Arcos . . .

Cuando Darío evocaba de esta suerte las conversaciones que mantuvo con Balmaceda, creyó sólo añadir algo curioso y colorido en su cuadro; pero hoy vemos allí un excelente resumen de los motivos artísticos que les unían, resumen con el cual se caracteriza el nivel de la ilustración literaria que podían manejar indistintamente ambos amigos.

Hasta ahora nos hemos referido solo a la primera de las dos cartas de Valera; en la segunda estudia en pormenor algunos de los fragmentos del libro, y de los versos pasa a la prosa en el siguiente forma:

Los cuentos en prosa son más singulares aún. Parecen escritos en París, y no en Nicaragua ni en Chile.

Esta observación, profunda y certera en todo, admite un alcance. Uno de los cuentos del *Azul. . , El fardo,* menciona a Valparaíso como sitio de la anécdota, y sus personajes, jornaleros del muelle, emplean la jerga chilena para entenderse. Este cuento no parece escrito en París, ni en Nicaragua, ya que no podía ser escrito sino en Chile. La situación psicológica pudo, naturalmente, suceder en cualquier parte, pero Darío estaba ese día en la vena de Zola, quiso escribir un relato naturalista (como él mismo dijo en las notas de la segunda edición de *Azul . . . ,* publicada en 1890), y así nació *El fardo.*

Después de este alcance, la observación queda en pie, y es de grande importancia. Rubén Darío escribió los cuentos del *Azul . . .* bajo la influencia de lecturas francesas muy recientes, y aun cuando, a las veces, haya en sus relatos reminiscencias de cosas vistas y oídas en Nicaragua y en Chile, es el modelo francés el que priva, y el más socorrido es Mendes. Catulle Mendes, autor francés de segundo orden cual vemos hoy, pero muy popular en los años de Rubén Darío, se especializó en cuentos breves, muy breves, con personajes curiosos y poco usuales: reyes, príncipes, sabios, artistas bohemios, poetas aventureros, damas de vida galante, a todos los cuales solía mezclar para alcanzar algo parecido a una moraleja. Estos cuentos se distinguían por el primor de la forma, trabajada con esmero, y en ellos se emplean, a cada paso, la ironía risueña, la burla suave, donde por lo general son víctimas las convenciones burguesas de la vida, esto es, el orden, la domesticidad, la sobriedad, usos y virtudes que para Mendes no podían ser tomados en serio. En contraste, de sus cuentos fluye como filosofía el amor a la vida al aire libre, sin presiones morales ni horas precisas, como en un país de cuento de hadas.

Debe señalarse, eso sí, que el influjo de Mendes sobre Darío no se prolongó demasiado, y que atraído éste ante todo por el verso, no muchos cuentos más escribió, sean de forma mendesiana o de cualquiera otra, en los años venideros, durante los cuales produjo en cambio no pocos poemas y además artículos periodísticos para asegurar el pan cotidiano.

En otra parte de la primera carta, Valera decía también a su nuevo amigo:

Si se me preguntase qué enseña su libro de usted y de qué trata, respondería yo sin vacilar: no enseña nada, y trata de nada y de todo. Es obra de artista, obra de pasatiempo, de mera imaginación. ¿Qué enseña o de qué trata un dije, un camafeo, un esmalte, una pintura o una linda copa esculpida?

No cabe menos que aplaudir: Valera ha dado en el blanco, y nada pudo complacer más a Darío, en esas horas y en otras de mayor madurez, que la lectura de estas palabras. En Darío se había producido un violento vuelco, un cambio radical y profundo, un salto hacia adelante o hacia arriba, en virtud del cual todo para él era distinto con la publicación de *Azul*... Siguiendo a Valera, señalemos que en Centro América, antes de pasar a Chile, Darío había sido propulsor de la unidad de las repúblicas que allí existen, y que para ese objeto había empleado el lenguaje del verso a fin de hacer propaganda a la doctrina unionista. En Chile, un año antes de la publicación de *Azul*..., había publicado *Abrojos,* libro muy íntimo y que tiene un tema o motivo central perfectamente a la vista, su vida sentimental, libro destinado a subrayar asimismo la orfandad espiritual del autor. *Abrojos* puede ser obra de artista, para emplear la terminología de Valera, pero no de mera imaginación, ya que tras la superficie pulida del camafeo suelen advertirse las huellas de algunas desoladas lágrimas. En Chile también, seducido por la recompensa de un certamen, había cantado hechos históricos, lo que tampoco podía ser obra "de mera imaginación".

Pero estas cosas no las conocía Valera cuando leía el *Azul*..., y la observación puede entenderse reducida al ámbito de este libro, como efectivamente lo fue, pero también ampliada a toda la obra de Darío para señalar en ella un cambio, una vuelta de ruta, que la divide por lo menos en dos porciones: antes de *Azul*... y después de *Azul*...

II

Siguiendo con fidelidad la historia, ha de recordarse que el libro de Rubén Darío había salido a la circulación precedido de un prólogo que lleva la firma de Eduardo de la Barra, poeta chileno a quien el nicaragüense frecuentó mucho desde su llegada a Chile. La idea de Darío fue que ese prólogo fuera escrito por José Victorino Lastarria, cuya personalidad de viejo luchador le infundía grandísimo respeto; pero Lastarria, vencido por setenta y tantos años de existencia, falleció sin alcanzar a cumplir el compromiso que había contraído. El prólogo escrito por Eduardo de la Barra es algo verboso y suele perder nivel por el empeño que puso su autor en fingir un diálogo con unas cuantas señoritas; pero la doctrina literaria que en él asoma no sólo conviene al contenido de *Azul*... sino que revela la más estrecha comunidad de ideas entre Darío y su crítico chileno. Fue certera, por ejemplo, la observación de que en el talento de Darío podían fundirse las más diferentes concepciones del arte:

Ahí precisamente está su originalidad. Aquellos ingenios diversos, aquellos estilos, todos aquellos colores y armonías, se aúnan y funden en la paleta del escritor centroamericano, y producen una nota nueva, una tinta suya, un rayo genial y distintivo que es el sello del poeta. De aquellos diferentes metales que hierven juntos en la hornalla de su cerebro, y en que él ha arrojado su propio corazón, al fin se ha formado el bronce de sus Azules. *Su originalidad incontestable está en que todo lo amalgama, lo funde y lo armoniza en un estilo suyo, nervioso, delicado, pintoresco, lleno de resplandores súbitos y de graciosas sorpresas, de giros inesperados, de imágenes seductoras, de metáforas atrevidas, de epítetos relevantes y oportunísimos, y de palabras bizarras, exóticas aún, mas siempre bien sonantes.*

Eduardo de la Barra discutió con el poeta, por escrito, también, su filiación estética, como prueba de que el punto había sido más de vez debatido entre ellos, en las conversaciones que hubieron de tener en el escritorio del rector del Liceo de Valparaíso. Le negó que fuera decadente, nombre que había discurrido entonces Darío para llamarse a sí mismo, en ausencia del epíteto modernista, que vino después. Optaba más bien por creer que le convenía llamarse parnasiano, ya que, en su entender, algo de parnasiano a la francesa había en la afición a la expresión refinada y sutil y a la orquestación de las voces. Y para poner término a esta parte de su disertación, Eduardo de la Barra decía:

Sus mismas sorpresas, novedades, rarezas de forma, son tan delicadas, tan hijas del talento, que las perdonarían hasta los más empecinados hablistas. Suele haber raíces exóticas en su vocabulario, suelen deslizarse algunos graciosos galicismos; pero es correcto, y si anda siempre a caza de novedades, jamás olvida el buen sentido, ni pierde el instinto de la rica lengua de Castilla al amoldar las palabras a su orquestación poética. No así en las cláusulas de su florido lenguaje: ellas tienen más el corte francés moderno, brusco, breve, nervioso, que el desarrollo grave, amplio, majestuoso, de la frase castellana.

En muchos aspectos revela este prólogo la amistad de los dos escritores, que había tenido un eclipse cuando cierto misterioso *Rubén Rubí* publicó las rimas del Certamen Valera con parodias de las escritas por Rubén Darío, pero que se había restaurado completamente a las alturas de 1888. Y aquella revelación alcanza, según parece, el nivel más alto cuando Eduardo de la Barra para denominar uno de los recursos estilísticos más excelentes en las manos de Darío, habla de la armonía.

Rubén Darío tiene el don de la armonía bajo todas sus formas —decía Eduardo de la Barra—. *Ya es la armonía imitativa, que nace, como sabéis, de la acertada combinación de las palabras, cual aquella "agua glauca y oscura que chapoteaba musicalmente bajo el viejo muelle", y "el raso y el moaré que con su roce ríen".*

Fuera de la armonía imitativa hay aquí, en grado supremo, aquella otra que convierte la lengua en una flauta suave y sonora; y hay la gran armonía, la más artística de todas, la que consiste en el perfecto acuerdo entre la idea y la expresión, de manera que parezcan ambas nacidas a la par y la una para la otra.

Agregad a estas fases de la armonía las melodías del lenguaje sometido a la ley del metro y del ritmo, y sabréis en qué nuestro poeta es maestro como pocos. El don de la armonía es uno de los secretos que tiene para encantarnos.

Debe notarse que estas observaciones del prologuista chileno conservan vigencia para toda la obra de Darío, si bien de ella, en 1888, aquél conocía sólo un pequeño fragmento, donde comenzaban a apuntar las innovaciones que luego, en conjunto, recibirían el nombre de Modernismo.

Eduardo de la Barra, a las alturas de 1886, cuando llegó Darío a Chile, y en años siguientes, dedicaba ya grande atención a la métrica, ciencia en la cual produjo multitud de estudios y tratados con el intento de probar, de una parte, la existencia de metros no usados antes en la lengua española, y de enseñar, en seguida, el arte del ritmo a cuantos lo necesitaran, o para crear composiciones literarias o para juzgar de las ajenas. Obvio es que estos estudios hayan sido más de una vez comentados por ambos escritores, y no se presume nada extraño si se afirma que Darío, empujado siempre hacia las cosas literarias por su curiosidad vehemente, hubo de instar más de una vez a Eduardo de la Barra a que le diese a conocer sus nuevos hallazgos.

Sea de ello lo que fuere, el prólogo es digno de *Azul*... y se adelanta a señalar la grandeza de la obra de Darío: "La envidia se pondrá pálida: Nicaragua se encogerá de hombros, que nadie es profeta en su tierra; pero el porvenir triunfante se encargará de coronarlo." Y terminaba diciendo que Darío llevaba consigo "las tres palabras de pase para el templo de la inmortalidad: Eros, lumen, numen", esto es, traduciendo, amor, luz y numen.

Podría decirse, en atención a estas notas, que Rubén Darío conoció el triunfo en los primeros pasos de su vida literaria; y así fue, sin duda. La querella del Modernismo vino después, y especialmente cuando comenzaron a salir los imitadores, algunos de los cuales, tomando demasiado al pie de la letra ciertos usos de Darío, exageraron los procedimientos pictóricos o descoyuntaron el verso en posturas inverosímiles. Darío incluso puede pasar como tímido si se pesan las muchas innovaciones que llegan a constituir el acervo modernista, puesto que él afrontó sólo unas cuantas de aquellas reformas. Y así como fue tímido, también fue un escritor desinteresado, en cuya obra conjunta, en prosa y en verso, impera, ante todo, una estrecha conciencia del arte, obra en la que el autor no intenta probar nada ni condenar nada, sino manifestar su hedonístico amor por ciertas cosas que le atraen, como el lujo, la elegancia, lo exquisito, la música, los bellos objetos artísticos, y ciertas fantásticas resurrecciones de una existencia clásica u olímpica, sin ninguna obligación perentoria; el culto de los héroes, sobre todo si están alejados por el tiempo y el espacio; innegable propensión al vivir regio en palacios y entre gentes condecoradas y nobles. Esto en globo, porque hay también excepciones, y algunas veces Darío atiende en sus escritos a temas mucho más caseros y menos encumbrados, y aún hace hueco en ellos a ciertas angustias de orden político. De 1888 a 1916 ocurrieron en la América Hispánica no pocos sucesos que al imantar la atención de Darío le llevaron en seguida a escribir en términos proféticos sobre el continente de que forma parte su patria.

Es verdad que más de una vez los poetas modernistas hablaron de una torre de marfil (Darío) o de cristal (Chocano), en la cual habrían de encerrarse para labrar el poema; pero notas de solidaridad social y de comprensión filantrópica no faltan, inclusive en los espíritus más selectos y exquisitos. Jaimes Freyre, por ejemplo, perteneciente a una familia ilustre y hombre formado en las exterioridades de la vida diplomática, sintióse atraído a las figuras de la reforma social, y ya en 1910 entonó un cálido elogio a Tolstoi, a quien, en su fallecimiento, le decía: "Fuiste el último rayo del sol de Galilea". Pero antes, cuando la rebelión que coronó los tristes resultados de la guerra ruso-japonesa dio origen a los primeros soviets, Jaimes Freyre, con premonitoria sensibilidad, escribió un poema sobre estos sucesos, donde entre otra sentencias se lee ésta de sorprendente anticipación:

La hoguera que consuma los restos del pasado
saldrá de las entrañas del país de la nieve.

En Colombia, en tanto, había comenzado a producir sus versos Guillermo Valencia, descendiente de viejas familias españolas, y miembro, él, del partido conservador, cuya representación invistió en el parlamento y en las elecciones presidenciales. Y es Valencia, exquisito en la forma, poeta culto y refinado, frío inclusive, si es necesario, para lograr la palabra y la oración balanceada y musical, autor también de *Anarkos,* extenso poema de hondo contenido social, que dio vuelta a los países de lengua española, recitado en comicios y reuniones obreras de toda laya. Es autor, además, de otros poemas donde alumbran también expresiones de solidaridad humana y de conmiseración, con los cuales se prueba que el dolor de los pobres alcanzaba hasta él, venciendo la espesa coraza que suele defender a los ricos del vocerío de sus hermanos desheredados.

No es verdad, pues, como alguna vez se ha dicho en términos de acusación y de censura, que el modernista quisiera vivir a espaldas de los problemas de su tiempo, y podría hacerse inclusive una antología de todos los sitios en que el escritor modernista muestra interés por esos temas. Lo que sí es verdad es que el Modernismo en sí, en su calidad de movimiento literario, puso su meta en otros asuntos y atendió a ideales que iban más allá de lo inmediato.

III

Para entender este aspecto de la obra de Rubén Darío, que tanto influjo iba a cobrar en la de sus compañeros de letras, conviene recordar algunos pormenores domésticos. Darío nació en Metapa, pequeña población rural ubicada en el interior de Nicaragua, centro de ganadería mayor, donde es más fácil encontrar pastores y boyeros que académicos y letrados; y en torno a su nacimiento hay no pocas conjeturas desdichadas por donde venimos a sospechar que surgió de una unión irregular y no en el seno de una familia bien avenida y feliz. De chico, no conoció a quienes eran sus padres, y hubo de ser acogido por caridad entre otros parientes. Tuvo una infancia harto solitaria y, lo más grave, en extremo precoz: si componía versos ya antes de saber escribirlos, también se le ocurría nada menos que casarse cuando era chicuelo de pocos años, sin oficio alguno que le diese para vivir. Un caso extraño, anormal en todo; porque el genio poético que misteriosamente afloró en él iba a provocar, dentro del benévolo influjo ambiental que le prestó Chile, el más vasto y poderoso movimiento literario que se deba a un hombre solo en el ámbito cultural hispanoamericano, y no movimiento favorecido o auspiciado por la tradición, sino, al revés, movimiento revolucionario que revoca o pone en duda las líneas tradicionales de la evolución literaria.

Este movimiento es el que recibe hoy en la historia de las letras el nombre de Modernismo.

Volviendo a Rubén Darío, el principal escritor del Modernismo hispanoamericano, recordemos que estudió en escuelas de la ciudad de León, y que en seguida viajó por las repúblicas centroamericanas vecinas, llamando en todas partes la atención por su precocidad para componer versos. Es el período de su mayor producción, si bien no sea ésta la más excelsa. Décimas, cuartetas, ovillejos, sonetos, surgen de sus labios en procesión interminable, y de los abanicos de las chicas pasan a los álbumes de las señoras maduras y de los colegas de letras, que desde lo alto de sus años miran al imberbe rimador con solicitud o con sorpresa. Pudo temerse entonces que el poeta iba a ser siempre frívolo asistente de veladas y banquetes, donde pagará la copa de *bon vino* con los versos; pero había sin duda una providencia que velaba por él y que desvió sus pasos. Un día llegó a Managua, donde Rubén Darío fungía ya como periodista, el general salvadoreño Juan José Cañas, desterrado de su patria a pesar de que además de prestarle eminentes servicios la había cantado en las estrofas de su himno nacional; y ocurrió que Cañas y Darío congeniaron bien, y que éste oyó de aquél ardientes elogios de Chile, país en el que había cumplido una breve misión diplomática. Darío decidió entonces pasar a Chile a estudiar para dar estructura y mejor base a sus aptitudes literarias, tan ostensibles ya. En Chile estaba en el mes de julio de 1886, y allí permaneció hasta febrero de 1889, y en el intervalo hizo ardorosa vida literaria, luchó, escribió, leyó mucho, y, sobre todo, conversó arrebatadamente de arte, de letras, de filosofía, de todo, con multitud de chilenos, algunos sin duda muy ilustres por su experiencia.

El primer libro chileno de Darío, *Abrojos* (1887), poco hacía esperar de su capacidad literaria. Inspirado en Bécquer, lo que no es mal modelo, también contiene extremos sarcásticos, de burla cruel, sin duda tomados de Bartrina, poeta español de tercer orden que entonces no era totalmente desdoroso leer. El conjunto resultó ácido, agresivo, y pronto el autor hubo de aceptar espontáneamente que habría sido más discreto no publicarlo. Pasar por cínico a los veinte años, como decía después el mismo Darío, no es buena tarjeta de presentación para abrirse paso en tierra extraña.

Darío, afortunadamente, no estaba solo, y en esas horas contó con la ayuda de dos excelentes consejeros literarios, cada uno de los cuales aportó lo suyo.

El más directo compañero de sus horas nocturnas dedicadas a la labor periodística, Manuel Rodríguez Mendoza, que celebró sus genialidades, no aplaudía todas sus extravagancias, y más de una vez, en la mesa de redacción de *La Epoca*, entre los dos hubieron de cambiarse hondas reflexiones. ¿Cómo se debía escribir? ¿Dónde estaban los buenos modelos? La vida tan amarga en algunas de sus apariencias, ¿no esconde también lecciones provechosas? Era preciso esforzarse para lograr algo nuevo, y Darío a menudo prefería vagar.

De tarde en tarde —lo repito, de tarde en tarde— herías las cuerdas mágicas de tu lira; cantabas las flores y las nieves, los árboles floridos y las plantas que marchita el otoño, los ideales de un gran corazón, de tu corazón de poeta; dabas a luz un abrojo, amargo como el ajenjo o corrosivo como el vitriolo; entonabas patrias canciones; hacías el epitalamio de las aves y de los insectos, de los lirios y de las rosas; escribías la apoteosis del pájaro azul; aplicabas cauterios . . ., y te columpiabas después en hamacas mecidas por geniecillos alegres y traviesos.

Tal era la síntesis que hacía Rodríguez Mendoza, por el mes de enero de 1888, al poeta que le había anunciado su pronta partida de Chile, viaje que en realidad tardó un año cabal en llevarse a efecto; y por esa síntesis venimos a colegir que los amigos chilenos de Darío no sólo ampararon y defendieron su talento, sino que además procuraron hacerle rendir en obras duraderas algo de lo mucho que él hacía presentir.

De otra parte, Pedro Balmaceda Toro, cuya amistad buscó Darío a poco de instalarse en Santiago, era suscritor de revistas francesas de letras, dueño de una excelente biblioteca de *amateur*, y encerrado en un elegante escritorio del palacio del gobierno de Chile, ya que su padre era el presidente de la República, abrió a los ojos de su amigo nicaragüense todo un mundo de arte nuevo y exquisito. Allí Rubén Darío vio por fin transformados en objetos de existencia concreta, las chinerías y japonerías que más de una vez hubo de atisbar en sus ensueños, y pudo leer producciones de artistas que avivaron su imaginación. Se acentuó en él la afición al lujo, que le iba a servir de compañera toda la vida, y decidió transportar a sus escritos los nuevos estremecimientos de la sensibilidad artística que hasta sus obras habían llevado autores de nombres poco difundidos hasta entonces, así en Chile como en cualquier otro país hispanoamericano. Balmaceda y él emularon cariñosamente en la creación literaria. En el Palacio de la Moneda, al abrigo de espesos muros, conversaban de arte, alta la noche, bebiendo un té exquisito, fragante y sugeridor de exóticas impresiones. Y cuando la madre del chico Balmaceda insinuaba el consejo de que éste se recogiera porque las horas de la vigilia habían huido ya todas, Darío se iba a su alojamiento de la calle Nataniel, escoltado por un hombre de la guardia a quien se había ordenado protegerle de cualquier peligro callejero.

En el Certamen Varela de 1887 Darío obtuvo el premio con su *Canto épico a los glorias de Chile,* precedente necesario de la *Marcha triunfal* y de los cantos a la Argentina y a Mitre, que vinieron después. Ahí también quedaron presentadas sus rimas, donde una discreta imitación becqueriana indicaba que el poeta bien podía volver, si el terreno era propicio, a la forma incisiva de los *Abrojos.* En la bibliografía de Darío en Chile, el año 1888 se inicia por la edición de las *Rimas* en un pequeño folleto donde aparecen seguidas de las "contra-rimas" de que era autor cierto misterioso *Rubén Rubí* a quien ya mentamos; pero este folleto no fue publicado por el poeta nicaragüense sino por Eduardo de la Barra, a quien corresponde el seudónimo. El poeta chileno oyó decir que las rimas presentadas por Darío al Certamen Varela eran mejores que las suyas, y que éstas en consecuencia no merecían el premio, y para replicar a esas observaciones publicó aquel folleto. Es obra, pues, de Darío, pero no publicación que éste hubiera podido auspiciar o autorizar.

Dentro de 1888 se produjo en Darío un gran cambio. Decidió volver a su patria, instado por sucesos familiares que no están bien especificados; pero como no logró reunir entonces el dinero para el viaje y debió quedarse algo más en Chile, pudo, en fin, lanzar otro libro, *Azul...* Para el caso congregó en el volumen algo de prosa y algo de verso, todo ello escogido con muy severo pulso, con ánimo selectivo extraordinariametne agudo, como para que el conjunto resultara poco usado y aun singular, y lo consiguió. La verdad es que en *Azul...* hay páginas de 1886 y de los años siguientes, y que, en suma, la novedad lograda en el espíritu de Darío no era cosa de última hora, sino fruto de una evolución reposada. *Azul...* es una especie de arqueo, de balance, donde, por vía antológica, el autor prefiere solo las gemas brillantes, las páginas risueñas y garbosas, los esbozos vecinos al logro inusitado y trascendental que puede proponerse el artista, a solas, cuando se pregunta cómo hará para que la expresión quede cerca de su íntimo proyecto. Y Darío tuvo además la suerte esplendorosa de sentir que había hallado lo que estaba pretendiendo, cuando se lo hizo notar así don Juan Valera desde España, que nada o muy poco sabía de él, pero que espontáneamente corrió a decirlo en alta voz, a los cuatro vientos...

IV

En algunos textos se ven usadas indistintamente las denominaciones escuela y movimiento para designar el Modernismo, y nos parece que existe ahí un paralogismo que sería ventajoso desentrañar. El Modernismo es, sin duda, un movimiento literario, con principio, culminación y declinación, como indica su historia, la cual se cifra ante todo en las obras publicadas por cuantos mostraron sensibilidad modernista en sus composiciones. Para ser una escuela, debería manifestarse en una sucesión temporal indefinida de fenómenos concordantes, de modo que hoy mismo, mañana, cualquier día pudieran aflorar nuevos modernistas, y esto es, según todo lo hace suponer, altamente improbable. La sensibilidad modernista ya pasó, y en las letras hispanoamericanas rigen otros principios, otras leyes, otros gustos, otros hábitos, otras exigencias de orden cultural y social, dentro de las cuales el escribir a la manera modernista sería considerado anacrónico y falso. El Modernismo es, pues, repetimos, un movimiento y no una escuela.

Dentro de él, por otra parte, siempre fueron acariciadas y respetadas la espontaneidad y la libertad individual. En el Modernismo caben apóstatas y herejes, a condición de que el escritor modernista, sin perjuicio de sentirse en todo libre, lleve a cabo con su propia obra algunos actos de confesión y de reconocimiento mutuo sin los cuales no tendría derecho a reclamar un sitio bajo la tienda común.

Los supuestos mínimos que el Modernismo parece plantear a sus adeptos podrían ser, entre otros, éstos:

Esmero en la elaboración de la forma. El modernista debe ser un artífice intencionado y consciente, a quien no le es concedido olvidar que está haciendo arte, y que, por lo tanto, debe esmerarse para lograr que las palabras rindan el maximum de su contenido. Para esto es necesario, entre otros extremos, el refinamiento verbal, es decir, una selección rigurosa de los términos usados, no ya sólo en atención a su claridad y a su precisión, como recomendaba la retórica de ayer, sino también por su valor melódico, por su exotismo, por su capacidad de sugerir, por su aptitud de resurrección o reminiscencia. Rubén Darío en *Prosas profanas* concretó este aspecto de la estética modernista diciendo:

Como cada palabra tiene un alma, hay en cada verso, además de la armonía verbal, una armonía ideal.

El esmero de la forma implicaba, también, la rebelión contra ciertos usos venerables pero que a los modernistas les parecieron incompatibles con su concepción de la poesía. Fue eliminado casi totalmente el hipérbaton en la composición del verso, y cuando se le mantuvo, fue a condición de resultar muy sencillo y muy fácil de aprehender, todo ello a pesar de que Darío y los demás modernistas admiraban grandemente dentro de la poesía española a Góngora, que en el uso del hipérbaton alcanzó a extremos increíbles. También fue eliminada la reducción de donde en *do,* que había facillitado el uso del verso a toda suerte de versificadores. En ambos casos (y se podrían citar otros), el esmero de la forma redunda en una mayor sencillez del discurso, desde el punto de vista de la sintaxis, pero de paso ha obligado al escritor a esforzarse en la elección de las voces empleadas.

Nuevos ritmos. Esta búsqueda de lo nuevo o, en otros casos, restauración de lo más antiguo y ya olvidado, lleva en el verso a la necesidad de practicar ritmos poco usuales. El poeta, de una parte, intenta una mayor libertad acentual o rítmica para los versos que se le dan vecinos dentro de una misma composición, y de otra procura obtener versos propiamente nuevos, por la combinación de dos o tres ya conocidos. Tocando algunos de estos temas, Henríquez Ureña ha escrito:

El Modernismo rompió con los cánones del retoricismo pseudo-clásico, que mantenía anquilosado el verso dentro de un reducido número de metros y combinaciones. En muchos casos cobraron nueva vida medidas y estrofas que ya habían sido cultivadas por los clásicos españoles. El endecasílabo dactílico, empleado por Rubén Darío en el Pórtico *de* En Tropel: *"Libre la frente que el casco rehúsa, / toda bañada en la gloria del día . . ." no está sólo en los clásicos, sino también en las esttrofas populares de la "gaita gallega": "Toca la gaita Domingo Ferreiro . . ." El endecasílabo acen-*

tuado solamente en la cuarta sílaba, utilizado por Rubén Darío en Divagación (1894): *"Serás la reina en los Decamerones..." ya se encuentra en Boscán y, mezclado a otros de acentuación corriente, procede de una tradición genuinamente italiana.* (Breve historia del Modernismo, México, 1954, p. 12.)

La mayoría de las adquisiciones que se hicieron por este camino fracasaron, puesto que a poco andar terminaba imperando en la poesía de lengua española el versolibrismo a ejemplo de Walt Whitman, pero el intento de lograrlas y aclimatarlas nos convence, por otro lado, de que el modernista aspiraba a ser artista consciente y estudioso.

Amor a la elegancia. Ya se dijo que Rubén Darío manifestó grande inclinación al lujo. En el Modernismo, además, se da una riquísima exhibición de primores, pues se habla de piedras preciosas y de gemas, se elogia el oro, se describen esculturas y cuadros afamados. Los personajes que tocan los modernistas viven por lo común rodeados de lujo, aspirando delicados perfumes, visten trajes elegantes, comen exquisitos manjares, ocupan habitaciones amplias y suntuosas, emplean muebles de rica ornamentación. Algunos de los rasgos de este amor a la elegancia están señalados por el propio Darío, que en *Prosas profanas* dejó dicho:

...Veréis en mis versos princesas, reyes, cosas imperiales, visiones de países lejanos o imposibles; ¡qué queréis!, yo detesto la vida y el tiempo en que me tocó nacer...

Uno de los temas decorativos más frecuentes en el Modernismo es el cisne, motivo de multitud de composiciones de Darío y de otros modernistas y símbolo, sin duda, de la belleza desinteresada que se aspiraba a conseguir con la obra de arte. Y hubo también otros temas, como lo anota Henríquez Ureña:

Pero no fue el cisne el único símbolo de que se valió el Modernismo como expresión de elegancia y de refinamiento: sin elevarlos a la superior categoría que Darío otorgó al cisne, el propio Darío empleó como elementos decorativos la flor de lis y el pavo real; el lis se encuentra mencionado en catorce composiciones de Rubén Darío, algunas de la edad temprana; el pavo real, en no menos de diez, a partir de Prosas profanas. (Breve historia del Modernismo, *México,* 1954, p. 26.)

Guerra al prosaísmo de léxico y de intención. En este aspecto, Darío estaba muy bien dotado por la naturaleza, y en el total de su obra, de principio a fin, lo menos que se hallan son notas prosaicas: "... mi intelecto libré de pensar bajo ..." Los demás modernistas no siempre tuvieron fuerzas para seguirle en esta estrecha senda; pero del movimiento mismo no puede negarse que propendía a dejar el verso por encima de todo prosaísmo, lo que equivale a crear para la poesía un lenguaje puro, decente, elevado, digno, ideal tanto más difícil de lograr cuanto más encumbrado. Una de las más notorias diferencias que pueden observarse entre la poesía modernista y la que sigue, es el rígido esmero que puso aquélla para lograr la limpieza tanto del léxico como de la intención.

Exotismo del paisaje. En lugar de hablar de Metapa y de sus vacas y toros, el poeta modernista habla de Grecia, de China, del Japón, de la India, y como país más próximo, de Francia. En el caso de aquellas comarcas muy remotas en el espacio o en el tiempo, quedan las manos libres para ejercitar la fantasía. ¿Quién le va a pedir precisiones sobre la vida china a un escritor de cuentos y a un poeta? En todos los casos, la información es principalmente libresca, es decir, el escritor modernista no habla sólo de lo que conoce en forma directa y personal, sino también de lo que le ha sido sugerido por sus lecturas, campo en el cual, por lo demás, su imaginación puede establecer lazos tanto posibles como probables. El exotismo del paisaje en su vertiente helénica fué fijado ya por Darío en 1888, en una prosa periodística titulada *Carta del país azul,* donde se lee:

Amo la belleza, gusto del desnudo; de las ninfas de los bosques, blancas y gallardas; de Venus en su concha y de Diana, la virgen cazadora de carne divina, que va entre su tropa de galgos, con el arco en comba, a la pista de un ciervo o de un jabalí. Sí, soy pagano. Adorador de los viejos dioses y ciudadano de los viejos tiempos. Yo me inclino ante Júpiter porque tiene el rayo y el águila; canto a Citerea porque está desnuda y protege el beso de dos bocas que se buscan; y amo a Pan porque, como yo, es aficionado a la música y a los sonoros ditirambos, junto a los riachuelos armoniosos, donde triscan las náyades, la cadera sobre la linfa, el busto al aire, todas sonrosadas al beso fecundo y ardiente del gran sol.

Influencia de las letras francesas. El exotismo del paisaje a que nos acabamos de referir tuvo por lo demás su vehículo: la literatura francesa de la segunda mitad del siglo XIX, donde Gautier, los Goncourt y otros autores llevaron a sus libros notas exóticas de gran vuelo y muy variadas. Darío se inspiró directamente en algunos, como ya se ha visto; otros modernistas escogieron a los restantes, y en conjunto el Modernismo es una transposición de temas literarios franceses a la lengua española, todo ello en una escala y con una profusión como jamás se habían dado antes.

El juego de la fantasía. Gran adquisición del Modernismo fue el echar a volar la fantasía del poeta a fin de manejar imágenes nada comunes y hasta para inventar una misteriosa comarca a la cual ya Darío, en Chile, había dado el nombre de "país azul", como acaba de verse. Hadas, príncipes, gnomos, espíritus etéreos o subterráneos, podían ser conjurados para poblar escenas de mitología convencional, entre cuyos temas se escogían de preferencia los faunos y los centauros. El cuadro es a veces simbólico (*El reino interior,* uno de los poemas más significativos de Darío), pero a menudo carece de cualquier intención recóndita, y se le arma sólo para deleite de los sentidos, a los cuales se quiere subyugar por medio de evocaciones simpáticas. Debe colaborar entonces el son de las voces con las cosas que ellas representan, para ostentar ante el lector una escena completa, abigarrada, en que luz, aromas, música, lineamientos del cuadro, marco, etc., contribuyen a la armonía total. En la propia obra de Darío, la *Sonatina* y el cuento narrado

A Margarita Debayle ocupan, desde este punto de vista, sitios que son tal vez culminantes.

Arte desinteresado. Como el artista se inclina al culto del arte con la intención de lograr bellas obras y no para demostrar una tesis o hacer la apología de una doctrina, el Modernismo se distingue por el gran número de páginas desinteresadas que dejó. Los autores modernistas no buscan prosélitos ni predican ni amonestan, y en materia de temas prefieren los más elevados, que son los que les permitirán mantenerse en una atmósfera pura y no utilitaria. No son, tampoco, dogmáticos, y es probable que a cualquier afirmación tajante preferirán la duda escéptica, la sonrisa, el ademán condescendiente y frívolo. Muchos de ellos declararon ceñirse a la máxima estética "el arte por el arte", y otros, sin llegar tan lejos, la practicaron cuanto les fue posible.

Exhibición y complacencia sensual. El escritor modernista, en fin, es a menudo un hombre amoral a quien no detiene el escrúpulo de escandalizar a sus lectores con la obra que ejecuta, capaz de elogiar la carne con términos que en años anteriores habrían parecido impropios y, desde luego, ajenos de la literatura. El mismo Darío explicó esta parte de su personalidad literaria, que tanto influjo iba a cobrar en seguida, con las siguientes expresiones, que evitan muchos circunloquios:

Tocad, campanas de oro, campanas de plata, tocad todos los días, llamándome a la fiesta en que brillan los ojos de fuego, y las rosas de las bocas sangran delicias únicas. Mi órgano es un viejo clavicordio Pompadour, al son del cual danzaron sus gavotas alegres abuelos; y el perfume de tu pecho es mi perfume, eterno incensario de carne, Varona inmortal, flor de mi costilla. Hombre soy. (Prosas profanas.)

Volviendo a Darío después de varios años, en 1897, Valera, que era sin duda uno de los mejores intérpretes españoles de la literatura del poeta nicaragüense, escribía además:

Ahora bien (y sentiré que alguien me tilde en mi censura de severo o hasta de injusto), ¿no se echa de menos en los versos de Rubén Darío todo lo que no es amor sexual y puramente material? Se adornará este amor con todas las galas y con todos los dijes de variadas mitologías; se circundará y tomará por séquito o comitiva musas, ninfas, bacantes, sátiros y faunos; llevará en sus procesiones una sonora orquesta de instrumentos de distintas edades y naciones como tímpanos, salterios, gaitas, sistros, clarines, castañuelas, flautas y liras; pero siempre será el amor a la materia y de la forma sin sentimiento alguno que le espiritualice. (Cartas Americanas, *IV, Madrid,* 1916, *p.* 83.)

V

Fijados algunos de los caracteres estéticos del Modernismo, ahora toca señalar sus límites cronológicos, es decir, entre qué fechas tuvo comienzo y fin el movimiento. Todo esto es relativo, como es fácil adivinir, pero hay hechos precisos a los cuales debe atenderse para encuadrar el Modernismo. Primeramente, ¿en qué fecha podría datarse su aparición? El ilustre erudito chileno Arturo Torres Rioseco dice a este respecto lo que sigue:

Hacia fines del siglo XIX apareció en Hispanoamérica un nuevo y extraordinario fenómeno literario: un movimiento desarrollado en el Nuevo Mundo, pero destinado a revivir y revolucionar los modos de expresión de todo el idioma español. Este movimiento modernista fue la primera contribución original de Hispanoamérica a la literatura mundial, y como ocurre con la mayoría de los movimientos mundiales, su nacimiento puede fijarse con una fecha precisa. De acuerdo con la práctica usual, esta fecha debe establecerse no en los comienzos de la nueva tendencia, sino al aparecer el primer libro trascendental de la nueva escuela. El año fue el de 1888; *el libro,* Azul..., *volumen de versos y relatos breves; su autor era Rubén Darío, el poeta nicaragüense, por entonces pobre y desconocido, pero que llegaría a convertirse en el nombre más ilustre de las letras hispanoamericanas*. (Nueva historia de la gran literatura iberoamericana, *Buenos Aires,* 1960, *p.* 87.)

Veamos, pues, la cronología general del Modernismo, en sus fechas más culminantes, en relación con sucesos de la vida de Rubén Darío.

1888. Rubén Darío era mozo de poco más de veintiún años de edad cuando publicó el *Azul*..., pero este libro no salió en su patria, Nicaragua, sino en el puerto chileno de Valparaíso, porque Darío hacía ya dos años que estaba residiendo en Chile. El repertorio de que se compone el *Azul*..., verso y prosa, fue por lo demás todo compuesto dentro de Chile, desde 1886, como ya se dijo, y había sido dado a conocer a los lectores chilenos por los diarios y las revistas que al acoger la colaboración del escritor forastero, seguían una antigua tradición nacional.

1892. Rubén Darío hace su primer viaje a Europa y, en concreto, a España, donde asiste como delegado oficial de Nicaragua a las solemnidades del IV Centenario del Descubrimiento de América. Visita a los principales escritores españoles de entonces, y en especial a Campoamor, sobre quien escribió en Chile, y a Valera, que había celebrado el *Azul*... en las cartas de que se hizo caudal más arriba. De los jóvenes, alentó la vocación que manifestaba Salvador Rueda, prologando su libro *En tropel.*

1893-8. Permanencia en Buenos Aires. Darío había salido de Chile, en 1889, investido con el título de corresponsal de *La Nación* de Buenos Aires, y al llegar a la Argentina, cuatro años después, su nombre era ya ventajosamente conocido como gran poeta. En aquellos años de vida en Buenos Aires logró alentar no pocas vocaciones nuevas. También allí publicó algunos libros.

1896. Uno de ellos, *Prosas profanas,* confirmó en nivel excelso los augurios que se habían lanzado en torno a *Azul*..., y con otro, *Los raros,* dio pábulo a la polémica literaria encaminada a suscitar curiosidad y admiración en torno al Modernismo.

1905. A los títulos señalados, Darío une, vuelto ya a Europa, *Cantos de vida y esperanza,* y en años siguientes *El canto errante* (1907) y *El poema del otoño* (1910), con lo cual se completa la galería bibliográfica de sus principales obras líricas. A más de ello, recogió en no pocos volúmenes (*España contemporánea, Todo al vuelo, Parisiana,* etc.) la colaboración en prosa de *La Nación* de Buenos Aires. Ninguno de esos libros de artículos periodísticos hará olvidar la existencia de *Azul...,* donde el autor, en lo más pujante de su edad, había realizado verdaderas proezas de estilo bien combinado; pero todos fueron leídos con admiración. Puede agregarse, también, que en ellos se encuentran irreemplazables informaciones sobre el hombre, sus lecturas, sus compañeros de labor, sus viajes, sus preferencias estéticas, y que deben ser atentamente recorridos si se quiere trazar la historia del Modernismo.

1911. Estando Darío en París, fue contratado para fundar y dirigir una revista de publicación mensual, *Mundial Magazine,* que aparecía destinada a servir de elegante tribuna del Modernismo. La revista se publicó efectivamente, pero Darío no pudo ya, por su salud claudicante, atenderla con el esmero debido. Los empresarios, para peor, discurrieron llevar a Darío en una gira de propaganda que alcanzó hasta la República Argentina. Agasajado en el camino con exceso, Darío no pudo extender el viaje, como era su intención, hasta Chile, donde en 1888 había iniciado su carrera modernista. El regreso a Europa se hizo en precarias condiciones.

1914. La guerra europea que estalló en el mes de julio de 1914, puso término a la aventura de *Mundial Magazine* y sumergió a Darío en una tribulación extraordinaria. Algunos de sus poemas de entonces, muy descabalados ya desde el punto de vista de la ejecución formal, revelan inquietud y angustia. Cediendo a consejos mal intencionados, fue a Nueva York, donde cayó gravemente enfermo de pulmonía. De allí pasó a Guatemala, y finalmente a su patria.

1916. El 6 de febrero Rubén Darío falleció en Nicaragua, su tierra natal, último refugio a que se había acogido después de los hechos desastrosos a que se ha pasado revista poco antes.

No podría decirse que su muerte acarreó por sí misma la defunción del Modernismo, pero sí coincidieron ambos sucesos en forma muy estrecha, pues el Rubén Darío de salud física y espiritual inestable (por lo menos desde 1912) no era ya capaz de seguir produciendo una obra de tan alta tensión estética como la que se registra en los libros que van desde *Azul*... hasta *El poema del otoño,* título ciertamente muy simbólico. Parte de la crítica literaria hispanoamericana conviene, sin embargo, en aseverar que con Darío dejaba de eixstir el Modernismo; véase por ejemplo la impresión de Max Henríquez Ureña, el más conspicuo historiador de este movimiento:

Todo el proceso del Modernismo está íntegro en la obra de Rubén Darío. Ese movimiento de renovavción, bueno es recordarlo una vez más, se inició con el anhelo de alcanzar una nueva y refinada forma de expresión, brindó acogida al amor de lo exótico y al cultivo del juguete elegante, y por un momento pareció que el amaneramiento preciosista revelaba la voluntad de estilo del Modernismo: después, sin embargo, se acentuó dentro del movimiento la tendencia de dar preferencia a temas de hondo subjetivismo lírico frente a los problemas de la naturaleza y el destino, y la de recoger el legado del americanismo literario, con nuevo estilo y nueva mentalidad. ¿No resume y representa Rubén Darío todas y cada una de esas etapas del movimiento? El Modernismo, ya cumplida su misión, murió con él. (Breve historia del modernismo, *México,* 1954, *p.* 112.)

El hecho cierto es que si bien obras modernistas siguieron escribiéndose y publicándose después de 1916, ya el movimiento había perdido vitalidad, se dividía en tendencias y grupos nada afines, y los propios modernistas de la primera hora, compañeros de los combates iniciales y de la gran polémica en torno al Modernismo, en sus nuevas obras dejaban traslucir ideales diferentes. El Modernismo pretendió, por lo menos en el ánimo de Rubén Darío, robustecer la independencia espiritual del escritor, de manera que las apostasías y los cismas debían juzgarse consecuencia propia del movimiento.

VI

Como hace ya varios años que no se escriben obras modernistas, y evidentemente el Modernismo está concluso, por haber producido todos los resultados previsibles y haber desaparecido los artistas que reconocieron filas en él, hasta los que más tardíamente hubieron de presentarse a la cita, cabe hacer un balance para establecer los beneficios que las letras hispanoamericanas alcanzaron en este período de su evolución. Yendo de lo más a lo menos, entre las adquisiciones podrían mencionarse las siguientes:

El escritor hispanoamericano se sintió por primera vez influyente en el mundo cultural de su lengua. Es ya notorio que el Modernismo no se redujo al continente americano de habla española, sino que alcanzó a España, y en claro queda que ahora se había invertido el tradicional cauce de las influencias literarias, y que por fin se lograba *el retorno de los galeones,* como tan expresivamente dijo el mejor historiador del movimiento, Max Henríquez Ureña. Durante tres siglos, el escritor americano había sido pasivo receptor de influjos de fuera, reflejo de sentires manifestados en otras naciones y repetidor de cánones, recetas y fórmulas elaboradas en otras partes. En el período modernista se da el caso, ciertamente alentador, de que la influencia individual de Darío se abre paso en España al través de personalidades literarias tan significativas como Salvador Rueda, Ramón del Valle Inclán, Francisco Villaespesa y Juan Ramón Jiménez, por reducir la enumeración a un puñado de grandes figuras.

Ha correspondido a un ilustre escritor, Enrique Díez Canedo, señalar este aspecto decisivo de la historia literaria hispanoamericana, en su discurso de incorporación en la Real Academia Española, donde, además de otros discretos conceptos, leemos las siguientes palabras:

Con Rubén Darío viene a España un influjo directo de América. Su revolución llegó a triunfar como todas aquellas que toman su fuerza en las inclinaciones del tiempo. Fue fecunda, como la revolución rítmica, en que Garcilaso y Boscán transportaron el modelo de Italia, y como la revolución barroca, en que el genio de Góngora marcó tan profundamente su huella. Y no destruyó de lo pasado nada digno de tenerse en pie. Sus mejores discípulos son los que menos le imitan. El instrumento poético es hoy más amplio y resonante, sin que la orquesta de nuevos timbres y triunfadores plenos quite nada de su armonía al más íntimo clavicordio, ni apague el estruendo de clarines y atabales más afirmativo y glorioso.

El escritor hispanoamericano se hizo más consciente de sus recursos estilísticos dentro del propio idioma español, así como de la libertad en que se hallaba para escoger su camino a fin de ampliar, a su arbitrio y conforme su gusto, el repertorio de imágenes y de temas literarios que podía llevar a sus escritos. El escritor modernista se sintió instalado en el centro de un mundo creacional bullente de novedades, y no en la simple periferia de este mundo, como creía haber estado hasta entonces. Exigente consigo mismo, agilizó su expresión y partió en busca de nuevas cimas para su arte. La obra adocenada, que siempre existe, quedó más nítidamente definida que antes, y nadie quiso hacerse culpable de haberla producido. El artista procuró alcanzar su individualidad, con la adquisición y la posesión de un estilo propio, uno de los más insistentes consejos de Rubén Darío, y en muchos casos lo consiguió a la medida de su voluntad.

El escritor hispanoamericano sintióse, además, instado a producir en un ambiente hostil o frío, sin temer el desdén ni la incomprensión, ya que lo abroquelaba una nueva fe. Es verdad que algunos fueron más lejos en esta posición, y optaron por encerrarse en la mencionada torre de marfil para befar a los profanos, como hacía Herrera y Reissig; pero los más equilibrados y sensatos se mantuvieron en posición serena y firme, hasta lograr hacerse mejor respetados dentro de sus respectivas naciones. En México se llegó más lejos, ya que se tornó uso normal llevar a la diplomacia a los escritores, merced a lo cual asimilaron éstos nuevas experiencias y dieron difusión a su literatura nacional en un grado antes no imaginado por nadie.

A guisa de conclusión para estas apuntaciones, debe decirse, aunque parezca mera repetición, que el Modernismo procuró, con especial relieve, alcanzar la gracia de la forma, en un período en el cual la poesía no había decidido renunciar a ser un arte del bien decir, y que, en consecuencia, se produjo entre los escritores americanos una especie de rumorosa emulación para obtener del manejo de la lengua los mejores logros. El Modernismo no trajo a la luz del comentario público a un gran número de pensadores, si bien el más egregio de ellos, José Enrique Rodó, aceptó plenamente ser llamado modernista, y en su inmensa mayoría los modernistas se redujeron a ser excelentes rimadores y además talladores de imágenes, en el juego de luces y sombras del idioma. Por esto mismo, en el juicio de algunos censores de más adelante, el Modernismo es superficial y no cala en los grandes problemas americanos. La censura, si lo es, no podrá subsistir cuando se la plantee en un grupo de historiadores de las letras, porque éstos saben cuántas veces se han producido, en el devenir histórico, movimientos semejantes, y cómo quedan ellos encargados de conferir nueva vitalidad a las letras, sea o no trascendental la finalidad que se hayan propuesto obtener los escritores comprometidos. Los problemas americanos, grandes, pequeños o minúsculos, nada ganan con el concurso de los hombres de arte. Son dificultades de orden técnico, económico, sociológico, reminiscencias de hechos de acomodación histórica que ya no cabe rever, asuntos que competen al pedagogo y al político, resabios de una vieja y no finiquitada polémica entre la máquina y el espíritu, que una vez y otra resurge y que, al parecer, habrá de ocuparnos *ad nauseam*. ¿Qué tienen que decir allí los artistas? Nada, y cuando lo dicen, generalmente se limitan a balbucearlo, porque su reino es el de las intuiciones, y no sería lícito exigirles que además de disponer del poder espiritual que les permite ser artistas, dispusieran del poder temporal, entre cuyos barones el interés por el arte y aun el mero respeto al arte y al artista es lo que menos cuenta.

El Modernismo, pues, no fue ni superficial ni profundo, ni cala hondo ni cala solo bajo las cortezas inmediatas. Es una toma de conciencia que hicieron algunos escritores hispanoamericanos, en un instante singularmente feliz de su vida, al influjo de uno de ellos, en quien el presentimiento del cambio adquirió una forma activa, Rubén Darío. Y fue también una feliz circunstancia la de que Darío no pretendiera subyugar a nadie ni enajenar la independencia espiritual de ninguno de sus amigos y discípulos, ya que de este modo, en su obra, orientada siempre hacia las más altas metas, no se hace presente el predicador con su insistencia ni el pedagogo con su didáctica. Merced a esta afortunada singularidad del carácter de Darío, el Modernismo logra ser un movimiento y no una escuela, es decir, estación de tránsito abierta a todos los puntos cardinales, por donde entra el que desea entrar y salen cuantos prefieren circular por los alrededores. No se paga ningún peaje para ocupar un asiento en aquella galería, y es el valer individual, el logro de arte de cada artista, la emoción que suscita, la curiosidad que despierta, los ecos que le siguen, lo que allí más vale y más pesa.

Nunca ha disfrutado el artista hispanoamericano de la palabra mejor oportunidad para lucir con su propia obra, grande o pequeña, a condición de ser sincera y bien inspirada. Pero el que nunca haya disfrutado de tales ventajosas condiciones no significa que no pueda volver a disfrutarlas; porque el Modernismo precisamente abrió la posibilidad de nuevos cambios, de más ardientes evoluciones, de ensayos audaces o tímidos pero originales, y dejó asentado entre los hispanoamericanos, de una vez para siempre, el convencimiento de la plena libertad de búsqueda artística que les asiste, por su doble calidad: la de ser hombres, la de ser artistas.

ALGUNAS OBRAS CONSULTADAS

Blanco Fombona, Rufino: *El Modernismo y los poetas modernistas*. Madrid, 1929.

Carden, Poe: *Parnassianism, Symbolism, Decadentism - and Spanish - American Modernism*, en *Hispania*, December 1940, p. 545-51.

Coester, Alfred L.: *An Anthology of the Modernista Movement in Spanish America*. Boston, New York, 1924.

Contreras, Francisco: *Rubén Darío, su vida y su obra*. Barcelona, 1930.

Corvalán, Octavio: *El postmodernismo*. Las Americas Publishing Company. New York, 1961.

Craig, G. Dundas: *The Modernist Trend in Spanish American Poetry*. Berkeley, California, 1934.

García Calderón, Ventura: *Del Romanticismo al Modernismo. Prosistas y poetas peruanos*. París, 1913.

García Prada, Carlos: *Poetas modernistas hispanoamericanos*. Antología. Madrid, 1956.

Ghiraldo, Alberto: *Archivo de Rubén Darío*. Buenos Aires, 1943.

Hamilton, Carlos: *Historia de la literatura hispanoamericana*. Dos volúmenes. Las Americas Publishing Company. New York, 1961.

Henríquez Ureña, Max: *Breve historia del Modernismo*. México, 1954.

Henríquez Ureña, Pedro: *Las corrientes literarias en la América Hispana*. México, 1949.

Lamothe, Louis: *Los mayores poetas latinoamericanos de 1850 a 1950*. México, 1959.

Mapes, Erwin K.: *L'influence française dans l'oeuvre de Ruben Dario*. París, 1925.

Marasso, Arturo: *Rubén Darío y su creación poética*. La Plata, República Argentina, 1934.

Onís, Federico de: *Antología de la poesía española e hispanoamericana* (1882-1932). Madrid, 1934. Hay segunda edición, facsimilar, aunque con datos nuevos, lanzada en 1961 por Las Americas Publishing Company, New York.

Saavedra Molina, Julio: *Los hexámetros castellanos y en particular los de Rubén Darío*. Santiago de Chile, 1935.

Sequeira, Diego Manuel: *Rubén Darío criollo*. Buenos Aires, 1945.

Silva Castro, Raúl: *Obras desconocidas de Rubén Darío escritas en Chile y no publicadas en ninguno de sus libros*. Santiago de Chile, 1934.

Silva Castro, Raúl: *Rubén Darío a los veinte años*. Madrid, 1956.

Torres Rioseco, Arturo: *Vida y poesía de Rubén Darío*. Buenos Aires, 1944.

Torres Rioseco, Arturo: *Antología de poetas precursores del Modernismo*. Unión Panamericana, Washington, D. C., 1949.

Valera, Juan: *Cartas americanas. I* (1888). Obras completas XLI. Madrid, 1915.

EXPLICACION PRELIMINAR

Esta *Antología crítica del Modernismo Hispanoamericano* exige algunas líneas de explicación. Según su título, no contiene obras sino de autores hispanoamericanos, a pesar de que el Modernismo se extendió a España, dando allí origen a una actividad literaria que en algunos puntos coincide con la de sus colegas del Nuevo Mundo. Sin embargo, se han omitido muestras de la poesía española para reducir el estudio a una medida accesible al estudiante elemental de las letras americanas de lengua española y para deslindar nítidamente ante ellos y ante los demás lectores el concepto fundamental de que el Modernismo nació en Hispano América y es, todo considerado, una actitud típicamente americana, que subraya la independencia espiritual del continente.

De acuerdo con las indicaciones hechas ya en la *Introducción,* tenemos entendido que el Modernismo tuvo fecha de nacimiento y de término. Para hacer más coherente su historia, en esta antología se agrupan los poetas dentro de tres divisiones orientadas, en general, por la cronología:

1. Los precursores.
2. Rubén Darío.
3. Otros modernistas.

El nombre *Precursores del Modernismo* empléase aquí para evitar explicaciones más detenidas, a sabiendas de que es en ciertos puntos equívoco. Algunos de estos llamados precursores son en realidad poetas cuyas obras corren paralelas a la de Rubén Darío, que incidentalmente tocan algunos temas después llamados modernistas, y que en la mayoría de los casos cumplen sólo una o dos de las características que hemos fijado para el Modernismo. Precursor propiamente tal cabría llamar en realidad sólo a González Prada, pues su obra poética, esencialmente de la juventud, quedó guardada de intento por su autor, tal vez por el hecho de que éste, comprometido en actividades de orden político, no creyó conveniente decir a sus compatriotas que sentía ser, al mismo tiempo, rimador de versos. También es precursor del Modernismo José Martí, cuya obra lírica, mucho tiempo menospreciada, gana cada día nuevos admiradores. De todos modos, consta que Rubén Darío comenzó a leerle en edad muy temprana, y estando en Chile, cuando preparaba el material de *Azul*..., le citaba con elogio en sus artículos periodísticos. Es, en cambio, harto forzado juzgar precursor a José Asunción Silva, pues consta que éste inclusive hizo mofa de los modernistas, cuya expresión poética y cuyo estilo le parecían superficiales, demasiado refinados y hasta artificiosos. Y como ya sonaba el nombre de Rubén Darío y todos los neófitos le declaraban su maestro, Silva llegó hasta el extremo de llamar *rubendaríacos* a los vates modernistas. Toda una *Sinfonía color de fresa con leche* dedicó *A los colibríes decadentes*, y ahí se leía:

¡Rítmica reina lírica! con venusinos
cantos de sol y rosa, de mirra y laca,
y polícromos cromos de tonos mil,
oye los constelados versos mirrinos,
escúchame esta historia rubendariaca
de la Princesa Verde y el Paje Abril,
rubio y sutil.

Así y todo, ha de consignarse el nombre de Silva entre los modernistas, y nada menos que en calidad de precursor, por la excelencia lírica de su obra, que en algunos países ejerció influencia pareja a la de Rubén Darío.

En suma, los precursores del Modernismo de que hay versos aquí son todos los siguientes:

Manuel González Prada, peruano, 1848-1918.
José Martí, cubano, 1853-95.
Salvador Díaz Mirón, mexicano, 1853-1928.
Manuel Gutiérrez Nájera, mexicano, 1859-95.

Julián del Casal, cubano, 1863-93.
José Asunción Silva, colombiano, 1865-96.

Dentro de la segunda sección se agrupan, también por orden cronológico, aunque éste en algunos casos incierto, composiciones sólo de Rubén Darío. Es necesario, por eso, antes de pasar adelante, explicar ligeramente la participación que toma Darío en esta *Antología.*

Desde luego, cabe afirmar, aunque parezca obvio, que no toda la producción de Rubén Darío es de entonación modernista, ya que el cambio sufrido por su sensibilidad poética hacia 1886, y robustecido en el período siguiente, hasta culminar en *Azul*..., da una fecha a su conversión al Modernismo. La producción literaria de Darío hasta 1886 fue abundantísima, pero en ella lo que menos podrá hallar el crítico es la línea modernista, que tan clara iba a verse en composiciones de años venideros. Aquí, por lo tanto, no aparecen poesías de Darío anteriores a 1886.

Después de *Azul*..., y durante algunos años, todas las que escribe Darío son modernistas, y entre ellas se han escogido de preferencia las que se traen a esta muestra. Pero hacia 1906, conmovido Darío por algunos hechos de orden político, pasó a escribir poemas de nivel continental, en los cuales depone un testimonio personal contra la prepotencia de Estados Unidos, llevada por el presidente Roosevelt a los últimos extremos. Desde 1906 hasta su fallecimiento, hay en Darío por lo menos dos líneas de composición literaria que son, por fortuna, muy fáciles de discernir y precisar. En esta última porción de su labor se escogen, pues, las obras de sensibilidad modernistas y se dejan fuera las otras. Semejante segregación no significa, por lo demás, en modo alguno, menospreciar esos trabajos: Darío es siempre gran poeta, aún en sus momentos menos felices; pero dentro de los caracteres propios del Modernismo, y teniendo en cuenta la gravitación que esos caracteres lograron en la evolución de la sensibilidad del poeta hispanoamericano, parece obvio que se deje fuera los que no condecían a la línea media de la producción poética de ese tiempo. La inquietud de Darío en materia de política internacional, por ejemplo, no podría quedar inscrita en el movimiento modernista, que se propuso otras metas y obedecía a otros ideales, pues, como hemos visto en la *Introducción,* el Modernismo pretendió encumbrarse a un plano totalmente artístico y rehuyó dar a sus obras ninguna implicación política, social, religiosa, moral, etc.

Hay, sin embargo, quienes creen que en el Modernismo no se manifestó sólo la inclinación a lo exótico y al lujo a que nos hemos referido, sino que también hubo tiempo para que afloraran otras tendencias espirituales. De aceptarse esta versión, el Modernismo ganaría mucho volumen en cuanto a movimiento representativo de la mentalidad hispanoamericana aplicada a las letras, pero, en cambio, perdería también la fijeza que se le concede, desde el punto de vista crítico, por sus caracteres relevantes. El más conspicuo de los historiadores del Modernismo, Max Henríquez Ureña, a quien se citó ya con elogio por su obra de narración y de exégesis, ha dicho lo siguiente:

Dentro del modernismo pueden apreciarse dos etapas: en la primera, el culto preciosista de la forma favorece el desarrollo de una voluntad de estilo que culmina en refinamiento artificioso y en inevitable amaneramiento. Se imponen los símbolos elegantes, como el cisne, el pavo real, el lis; se generalizan los temas desentrañados de civilizaciones exóticas o de épocas pretéritas; se hacen malabarismos con los colores y las gemas, y, en general, con todo lo que hiera los sentidos; y la expresión literaria parece reducirse a un mero juego de ingenio que sólo persigue la originalidad y la aristocracia de la forma. No es que los modernistas desecharan del todo otros motivos de inspiración más honda: las torturas del alma contemporánea encontraron siempre repercusiones intensas en esa literatura; y en cuanto a los temas americanos, raro era el poeta o escritor modernista que lo echara totalmente en olvido; pero un ansia de refinamiento, que a veces degeneraba en frivolidad, era lo que parecía dar la tónica del movimiento.

En la segunda etapa se realiza un proceso inverso, dentro del cual, a la vez que el lirismo personal alcanza manifestaciones intensas ante el eterno misterio de la vida y de la muerte, el ansia de lograr una expresión artística cuyo sentido fuera genuinamente americano es lo que prevalece. Captar la vida y el ambiente de los pueblos de América, traducir sus inquietudes, sus ideales y sus esperanzas, a eso tendió el modernismo en su etapa final, sin abdicar por ello de su rasgo característico principal: trabajar el lenguaje con arte.

Pero ya soplaban vientos de renovación y de protesta contra la anterior manera *que se había generalizado en su esencia misma y representaba ya aspiraciones más altas que la veneración de la belleza decorativa encarnada en el cisne. En 1910, un alto poeta, Enrique González Martínez, lanzó en admirable soneto, a las cuatro vientos del espíritu, el grito de guerra: "¡Tuércele el cuello al cisne!... ¡Mira el sapiente buho!"*

Eso fue ya en la hora crepuscular del modernismo. El cisne moribundo entonaba ya su postrer canto. (Breve historia del Modernismo, *México,* 1954, *p.* 31-2.)

Nosotros creemos que son incompatibles algunos de los ideales literarios que se manifiestan dentro del Modernismo, en el sentir de Henríquez Ureña, y que por lo tanto el nombre del movimiento modernista debe aplicarse sólo a lo que éste llama primera etapa. Es notorio que el arte modernista, como lo fijó *Azul*... en sus rasgos más relevantes, no considera para la creación literaria la naturaleza americana, salvo en aquellos rasgos en que ésta pueda dar tema para cuadros descriptivos elegantes y desinteresados; es un arte hedonista, de fruición estética a toda costa, en el cual no se aconseja, ni se predica ni se amonesta; ni se inclina a observar dramas o tragedias de la vida real; ni acepta protesta social de ninguna especie, ni propaganda política, ni discusiones doctrinarias. Es verdad que Darío en *Azul* habla, en concreto, de Valparaíso y de Santiago, pero lo hace sólo para destacar allí las notas bellas, de arte, que podían atraer sus miradas de esteta.

En la parte final de esta antología, *Otros Modernistas,* figuran poetas que podrían dividirse en varios grupos, a saber: autores que aceptaron el influjo ambiental modernista, aún cuando su obra estaba ya en marcha hacia 1888; y autores que comenzaron a producir después de esta fecha y dentro de la fe modernista. Pero éstos, a su vez, podrían dividirse entre quienes permanecieron fieles al Modernismo durante toda su obra, en contraste de quienes se alejaron de él, sea implícitamente, sea por medio de manifiestos y declaraciones de principios. Entre ellos deben merecer especial mención Enrique González Martínez, mexicano, cuyo famoso soneto *Tuércele el cuello al cisne* pareció encabezar la reacción contra las suntuosas exterioridades modernistas, ajenas a "la voz del paisaje", y Francisco Contreras, chileno, que aún siendo amigo personal entrañable de Rubén Darío, quiso que los autores hispanoamericanos siguieran una teoría nueva, por él promulgada, a la cual aplicó el nombre de Mundonovismo. En su entender, habiendo el Modernismo completado ya su ciclo evolutivo, se imponía un cambio de rumbos. Estos casos muestran, desde otros ángulos, la libertad espiritual que señalábamos en la *Introducción* como uno de los caracteres positivos del movimiento modernista.

Pero no hemos hecho ninguna de esas divisiones para no producir confusión en el lector, y nos hemos limitado a disponer a los autores en el orden cronológico más riguroso. De este modo nos parece que podrá afincarse en quienes lean la impresión de que los hechos literarios se suceden en el tiempo y son, por lo tanto, eminentemente evolutivos. Dentro de ellos hay flujo y reflujo y reacciones positivas y negativas, con las cuales se modelan nuevas personalidades y la generación más reciente procura distinguirse de las que la han precedido.

Por los mismos días en que el Modernismo parecía avasallar todas las iniciativas literarias de los escritores hispanoamericanos, siguieron su carrera, en líneas separadas y aún divergentes, otros autores que no querían seguir las huellas de Darío, dotados a veces de temperamentos que eran en todo incompatibles con el de éste. Dramaturgos, costumbristas de la novela y del cuento, escritores nativistas, que tomaron a pecho la tarea de dar forma literaria a intuiciones telúricas y folklóricas, abundan por los mismos días del Modernismo. Con el estudio de éste no se agota, pues, el contenido de las letras hispanoamericanas. Como es un movimiento literario conscientemente dirigido a promover un cambio profundo en la manera de hacer arte con la palabra escrita, no puede exigirse que se hagan modernistas escritores que tenían formado conceptos distintos de su oficio.

Debe establecerse, pues, la reserva de que los poetas representados en esta muestra no son los únicos que existieron en esos años. Ajenos al Modernismo por deliberación o por exigencias temperamentales inexcusables, muchos otros producían por ese mismo tiempo admirables poemas, pero habría sido sobre manera forzado traerlos a esta exposición de poesía modernista, sobre la cual rigen algunos principios y ciertas líneas coherentes de evolución literaria. Esta *Antología crítica del Modernismo hispanoamericano* comprende, pues, sólo poetas de entonación modernista, y de éstos, sólo las composiciones en que se manifiestan determinadas tendencias.

El Modernismo de que trata esta antología fue un poderoso movimiento de renovación estética, aplicado de preferencia al arte del verso, si bien alcanzó manifestaciones concordantes en la prosa y en otras artes. Justo habría sido, también, que un número más o menos parejo de representantes de cada nación hispanoamericana diera cuenta de la infiltración modernista en el seno de las literaturas respectivas; pero la realidad no lo permitía. Mientras en unos países cundió pronto y arrojó un saldo apreciable de obras, en otros se retrasó notablemente. La distribución nacional de los poetas es, pues, muy diferente, aunque fue empeño del antologista procurar que ningún país en que se pronunciara decorosamente la renovación modernista quedase ausente de este escrutinio y balance retrospectivo.

Tal como se dijo en la *Introducción* y se ha repetido en esta advertencia, el Modernismo tiene fecha de nacimiento y de extinción, y son ellas las que han servido de márgenes para los trabajos preliminares de selección que permitieron dar forma a esta antología. Se prescinde a conciencia de los modernistas atrasados o tardíos, para consolidar en la atención de los estudiosos el convencimiento de que la aplicación del marbete modernista en una producción literaria no encarece sus méritos, y que muchas obras literarias que nada tienen que ver con el Modernismo, son excelentes. Es, de otra parte, evidente que los modernistas tardíos, si no infundieron nueva vitalidad al movimiento, tampoco consiguieron prolongar sus días.

LOS PRECURSORES

MANUEL GONZALEZ PRADA

1848 - 1918

Perú. Aceptado por casi todos los críticos literarios como uno de los precursores del Modernismo, junto a éste ocupa sitio aparte por las singulares innovaciones de forma métrica y estrófica que amparó con su labor, innovaciones que acreditan un ahincado estudio de las letras europeas.

Es notable, asimismo, por el contraste entre el verso y la prosa, ambos, por lo demás, excelentes. En aquél siempre es delicado, fino, sutil, de etérea inspiración, mientras que en la prosa, sumamente viril y enérgica, se muestra combativo, audaz, violento, iconoclasta.

RITMO SOÑADO

(*Reproducción bárbara del metro alkmánico*)

Sueño con ritmos domados al yugo de rígido acento.
libres del rudo carcán de la rima.
Ritmos sedosos que efloren la idea, cual plumas de un
(cisne
rozan el agua tranquila de un lago.
Ritmos que arrullen con fuentes y ríos, y en Sol de
vuelen con alas de nube y alondra. (apoteosis
Ritmos que encierren dulzor de panales, susurro de abejas,
fuego de auroras y nieves de ocasos.
Ritmos que en griego crisol atesoren sonrojos de virgen,
leche de lirios y sangre de rosas.
Ritmos, oh Amada, que envuelvan tu pecho, cual lianas
cubren de verdes cadenas al árbol. (tupidas

CUARTETOS PERSAS

Deja la sombra y paz de tus hogares,
ven al huerto de mirras y azahares.
En medio al arrullar de las palomas,
vivamos el Cantar de los Cantares.

Extiende por mi rostro la red de tus cabellos;
enrédame en sus rizos, perfúmame con ellos.
Que brinden, tras la malla del oro ensortijado,
tu boca las sonrisas, tus ojos los destellos.

Cuando la amada sobre mí se inclina
y con su fresca boca purpurina
vierte en el fuego de mis labios fuego,
toco la rosa sin temer la espina.

¿Qué la sonrisa de unos labios? Nada.
¿Qué la mirada de unos ojos? Nada .
Mas no se oculta en nada de la Tierra
lo que se encierra en esa noble nada.

Es locura el amor y poco dura;
mas, ¿quién no diera toda la cordura,
quién no cambiara mil eternidades
por ese breve instante de locura?

RONDEL

Oh, fantasía, llévame a regiones
de enanos, de gigantes, de hechiceros,
y mire yo doncellas en prisiones,
y andantes, invencibles caballeros
ungidos con la sangre de leones.

Volemos a la edad del castellano
de la pasión indómita y bravía,
del paje, del rastrillo y del milano,
oh, fantasía.

Ya en ágil potro y con marcial arreo,
invado yo la arena del torneo:
triunfo; y al pie de mi gentil amada,
depongo en obsequiosa cortesía
el corazón y la flamante espada,
oh, fantasía.

COSMOPOLITISMO

¡Cómo fatiga y cansa, cómo abruma,
el suspirar mirando eternamente
los mismos campos y la misma gente,
los mismos cielos y la misma bruma!

Huir quisiera por la blanca espuma
y a sol lejano calentar mi frente.
¡Oh, si me diera el río su corriente!
¡Oh, si me diera el águila su pluma!

Yo no seré viajero arrepentido
que, al arribar a playas extranjeras,
exhale de sus labios un gemido.

Donde me estrechen generosas manos,
donde me arrullen tibias primaveras,
allí veré mi patria y mis hermanos.

LA NUBE

Con el primer aliento de la aurora,
abre la nube su cendal de nieve,
las frescas aguas de los mares bebe
y de rosado tinte se colora.

Ora impelida por los vientos; ora
acariciada por el aura leve,
con serpentina ondulación se mueve
y la serena inmensidad devora.

Al divisar en bonancible suelo
olas de mieses y tapiz de flores,
sonríe, goza y encadena el vuelo;

mas, al mirar asolación y espanto,
odios y guerras, muertes y dolores,
lanza un gemido, y se deshace en llanto.

TRIOLET

Al fin volvemos al primer amor,
como las aguas vuelven a la mar.
Con tiempo, ausencia, engaños y dolor,
al fin volvemos al primer amor.
Si un día, locos, en funesto error,
mudamos de bellezas y de altar,
al fin volvemos al primer amor,
como las aguas vuelven a la mar.

RONDEL-ROMANCE

Astros del cielo, esplendorosas flores,
lirios de luz en el jardín etéreo,
yo en la solemne calma de la noche,
oigo el rumor de lunas y de soles,
escucho el palpitar del Universo.

Sentís deliquios de almas soñadoras,
ardéis en rayos de amoroso fuego,
y habláis en mudo, reluciente idioma,
astros del cielo.

Si prole de miserias e infortunios
riega con sangre y lágrimas el mundo,
guardáis vosotros a envidiables hijos
que ven felices resbalar el tiempo
en la ilusión de un éxtasis divino,
astros del cielo.

JOSE MARTI

1853 - 95

Cuba. Muchas horas restó el periodismo a la obra propiamente lírica de Martí, inspirada casi toda ella en afectos hogareños. La calidad de precursor que se le da está basada en un número muy reducido de composiciones, ya que la sencillez predominante de su estilo no muestra mucho parecido con la tónica del Modernismo.

MI VERSO

Si ves un monte de espumas,
es mi verso lo que ves:
mi verso es un monte, y es
un abanico de plumas.

Mi verso es como un puñal
que por el puño echa flor:
mi verso es un surtidor
que da un agua de coral.

Mi verso es de un verde claro
y de un carmín encendido:
mi verso es un ciervo herido
que busca en el monte amparo.

Mi verso al valiente agrada:
mi verso, breve y sincero,
es del vigor del acero
con que se funde la espada.

TORTOLA BLANCA

El aire está espeso,
la alfombra manchada,
las luces ardientes,
revuelta la sala;
y acá entre divanes
y allá entre otomanas,
tropiézase en restos
de tules o de alas.
¡Un baile parece
de copas exhaustas!
Despierto está el cuerpo,
dormida está el alma;
¡qué férvido el valse!
¡Qué alegre la danza!
¡Qué fiera hay dormida
cuando el baile acaba!

Detona, chispea,
espuma, se vacia,
y expira dichosa
la rubia champaña:
los ojos fulguran;
las manos abrasan;
de tiernas palomas
se nutren las águilas;
don Juanes lucientes
devoran Rosauras;
fermenta y rebosa
la inquieta palabra;
estrecha en su cárcel
la vida incendiada,
en risas se rompe
y en lava y en llamas;
y lirios se quiebran,
y violas se manchan,

y giran las gentes,
y ondulan y valsan;
mariposas rojas
inundan la sala,
y en la alfombra muere
la tórtola blanca.

Yo fiero rehuso
la copa labrada;
traspaso a un sediento
la alegre champaña;
pálido recojo
la tórtola hollada;

y en su fiesta dejo
las fieras humanas;
que el balcón azotan
dos alitas blancas
que llenas de miedo
temblando me llaman.

DULCE CONSUELO

¿Qué importa que tu puñal
se me clave en el riñón?
¡Tengo mis versos, que son
más fuertes que tu puñal!

¿Qué importa que este dolor
seque el mar y nuble el cielo?
El verso, dulce consuelo,
nace alado del dolor.

PECHO HERIDO

Aquí está el pecho, mujer,
que ya sé que lo herirás:
¡Más grande debiera ser,
para que lo hirieses más!

Porque noto, alma torcida,
que en mi pecho milagroso,
mientras más honda la herida,
es mi canto más hermoso.

LA ROSA BLANCA

Cultivo una rosa blanca,
en julio como en enero,
para el amigo sincero
que me da su mano franca.

Y para el cruel que me arranca
el corazón con que vivo,
cardo ni ortiga cultivo:
cultivo la rosa blanca.

TU CABELLERA

Mucho, señora, daría
por tender sobre tu espalda
tu cabellera bravía,
tu cabellera de gualda:
despacio la tendería,
callado la besaría.

Por sobre la oreja fina
baja lujoso el cabello,
lo mismo que una cortina
que se levanta hacia el cuello.
La oreja es obra divina
de porcelana de China.

Mucho, señora, te diera
por desenredar el nudo
de tu roja cabellera

sobre tu cuello desnudo:
muy despacio la esparciera,
hilo por hilo abriera.

PARA CECILIA GUTIERREZ NAJERA Y MAILLEFERT

En la cuna sin par nació la airosa
niña de honda mirada y paso leve,
que el padre le tejió de milagrosa
música azul y clavellín de nieve.

Del sol voraz y de la cumbre andina,
con mirra nueva, el séquito de bardos
vino a regar sobre la cuna fina
olor de myosotís y luz de nardos.

A las pálidas alas del arpegio,
preso del cinto a la trenzada cuna,
colgó liana sutil el bardo regio
de ópalo tenue y claridad de luna.

A las trémulas manos de la ansiosa
madre feliz, para el collar primero,
vertió el bardo creador la pudorosa
perla y el iris de su ideal joyero.

De su menudo y fúlgido palacio
surgió la niña mística, cual sube,
blanca y azul, por el solemne espacio,
llena el seno de lágrimas, la nube.

Verdes los ojos son de la hechicera
niña, y en ellos tiembla la mirada
cual onda virgen de la mar viajera
presa al pasar en concha nacarada.

Fina y severa como el arte grave,
alísea planta en la existencia apoya,
y el canto tiene y la inquietud del ave,
y su mano es el hueco de una joya.

Niña: si el mundo infiel al bardo airoso
las magias roba con que orló tu cuna,
tú le ornarás de nuevo el milagroso
verso de ópalo tenue y luz de luna.

COPA CON ALAS

Una copa con alas, ¿quién la ha visto
antes que yo? Yo ayer la vi. Subía
con lenta majestad, como quien vierte
óleo sagrado; y a sus dulces bordes
mis regalados labios apretaba.
¡Ni una gota siquiera, ni una gota
del bálsamo perdí que hubo en tu beso!

Tu cabeza de negra cabellera,
¿te acuerdas?, con mi mano requería,
porque de mí tus labios generosos
no se apartaran. Blanda como el beso
que a ti me transfundía, era la suave
atmósfera en redor; ¡la vida entera
sentí que a mí abrazándote, abrazaba!
¡Perdí el mundo de vista, y sus ruidos
y su envidiosa y bárbara batalla!
¡Una copa en los aires ascendía
y yo, en brazos no vistos reclinado
tras ella, asido de sus dulces bordes,
por el espacio azul me remontaba!

¡Oh, amor, oh, inmenso, oh, acabado artista!
En rueda o riel funde el herrero el hierro;
una flor o mujer o águila o ángel
en oro o plata el joyador cincela;
¡tú sólo, sólo tú, sabes el modo
de reducir el Universo a un beso!

SALVADOR DIAZ MIRON

1853 - 1928

México. Al publicar su libro *Lascas,* en 1901, renegó de toda su obra anterior; en los años finales de su vida se impuso las mayores dificultades técnicas, de lo que resultó una producción muy escasa, extremadamente concisa, algo rebuscada. Su vida política y periodística, de dramática agitación, fue interrumpida por temporadas de cárcel. Como puede verse por la fecha de su muerte, sobrevivió largamente al propio Modernismo; pero en actitud de precursor le conserva la historia literaria, por el luminoso talento de poeta que reveló desde los primeros años.

A GLORIA

¡No intentes convencerme de torpeza
con los delirios de tu mente loca!
Mi razón es al par luz y firmeza,
firmeza y luz como el cristal de roca.

Semejante al nocturno peregrino,
mi esperanza inmortal no mira al suelo;
no viendo más que sombra en mi camino,
sólo contempla el esplendor del cielo.

¡Vanas son las imágenes que entraña
tu espíritu infantil, santuario oscuro!
Tu numen, como el oro en la montaña,
es virginal, y por lo mismo, impuro.

A través de este vórtice que crispa,
y ávido de brillar, vuelo o me arrastro,
oruga enamorada de una chispa,
o águila seducida por un astro.

Inútil es que con tenaz murmullo
exageres el lance en que me enredo:
yo soy altivo, y el que alienta orgullo
lleva un broquel impenetrable al miedo.

Fiado en el instinto que me empuja,
desprecio los peligros que señalas.
El ave canta aunque la rama cruja
como que sabe lo que son sus alas.

Erguido bajo el golpe en la porfía,
me siento superior a la victoria.
Tengo fe en mí: la adversidad podría
quitarme el triunfo, pero no la gloria.

¡Deja que me persigan los abyectos!
¡Quiero atraer la envidia aunque me abrume!
La flor en que se posan los insectos
es rica de matiz y de perfume.

El mal es el teatro, en cuyo foro
la virtud, esa trágica, descuella;
es la sibila de palabra de oro;
la sombra que hace resaltar la estrella.

¡Alumbrar es arder! ¡Estro encendido
será el fuego voraz que me consuma!
La perla brota del molusco herido
y Venus nace de la amarga espuma.

Los claros timbres de que estoy ufano
han de salir de la calumnia ilesos.
Hay plumajes que cruzan el pantano
y no se manchan...... ¡Mi plumaje es de ésos!

¡Fuerza es que sufra mi pasión! La palma
crece en la orilla que el oleaje azota.
El mérito es el náufrago del alma:
vivo se hunde; pero muerto, flota.

Depón el ceño y que tu voz me arrulle.
Consuela el corazón del que te ama.
Dios dijo al agua del torrente: ¡Bulle!
Y al lirio de la margen: ¡Embalsama!

¡Confórmate, mujer! — Hemos venido
a este valle de lágrimas que abate,
tú, como la paloma, para el nido,
y yo, como el león, para el combate.

VIGILIA Y SUEÑO

La moza lucha con el mancebo
—su prometido y hermoso efebo—
y vence a costa de un traje nuevo.

Y huye sin mancha ni deterioro
en la pureza y en el decoro,
y es un gran lirio de nieve y oro.

Y entre la sombra solemne y bruna,
yerra en el mate jardín, cual una
visión compuesta de aroma y luna.

Y gana el cuarto, y ante un espejo,
y con orgullo de amargo dejo,
cambia sonrisas con un reflejo.

Y echa cerrojos, y se desnuda,
y al catre asciende blanca y velluda,
y aun desvestida se quema y suda.

Y a mal pabilo, tras corto ruego,
sopla y apaga la flor de fuego,
y a la negrura pide sosiego.

Y duerme a poco. Y en un espanto,
y en una lumbre, y en un encanto,
forja un suceso digno de un canto.

¡Sueña que yace sujeta y sola
en un celaje que se arrebola,
y que un querube llega y la viola!

A ELLA

Semejas esculpida en el más fino
hielo de cumbre sonrosado al beso
del sol, y tienes ánimo travieso,
y eres embriagadora como el vino.

Y mientes: no imitaste al peregrino
que cruza un monte de penoso acceso
y párase a escuchar con embeleso
un pájaro que canta en el camino.

Obrando tú como rapaz avieso
correspondiste con la trampa al trino,
por ver mi pluma y torturarme preso.

No así el viandante que se vuelve a un pino
y párase a escuchar con embeleso
un pájaro que canta en el camino.

EL FANTASMA

Blancas y finas, y en el manto apenas
visibles, y con aire de azucenas,
las manos, que no rompen mis cadenas.

Azules y con oro enarenados,
como las noches limpias de nublados,
los ojos, que contemplan mis pecados.

Como albo pecho de paloma el cuello,
y como crin de sol barba y cabello
y como plata el pie descalzo y bello.

Dulce y triste la faz: la veste zarca...
Así del mal sobre la inmensa charca,
Jesús vino a mi unción, como a la barca.

Y abrillantó a mi espíritu la cumbre
con fugaz cuanto rica certidumbre,
como con tintas de refleja lumbre.

Y suele retornar, y me reintegra
la fe que salva y la ilusión que alegra;
y un relámpago enciende mi alma negra.

MANUEL GUTIERREZ NAJERA

1859 - 1895

México. La investigación reciente ha descubierto multitud de nuevas composiciones de Gutiérrez Nájera, así en prosa como en verso, dispersas en la prensa periódica, de la cual fue asiduo colaborador. Estas nuevas piezas confirman y robustecen el título de precursor del Modernismo que por tradición se le otorgaba. Es uno de los más excelsos escritores hispanoamericanos de todos los tiempos, afrancesado de gustos, con un pintoresquismo de forma que jamás impide la expresión de un sentir hondo y, a menudo, dolorido. Precedió a Rubén Darío en algunas de las adquisiciones propiamente modernistas que caracterizan el estilo de éste.

LA SERENATA DE SCHUBERT

¡Oh, qué dulce canción! Límpida brota
esparciendo sus blandas armonías,
y parece que lleva en cada nota
muchas tristezas y ternuras mías.

¡Así hablara mi alma ..., si pudiera!
Así, dentro del seno,
se quejan, nunca oídos, mis dolores!
Así, en mis luchas, de congoja lleno,
digo a la vida: "Déjame ser bueno!"
¡Así sollozan todos mis dolores!

¿De quién es esa voz? Parece alzarse
junto del lago azul, en noche quieta,
subir por el espacio, y desgranarse
al tocar el cristal de la ventana
que entreabre la novia del poeta...
¿No la oís cómo dice: "Hasta mañana"?

¡Hasta mañana, amor! El bosque espeso
cruza, cantando, el venturoso amante,
y el eco vago de su voz distante
decir parece: "¡Hasta mañana, beso!"

¿Por qué es preciso que la dicha acabe?
¿Por qué la novia queda en la ventana,
y a la nota que dice: "Hasta mañana!"
el corazón responde: "¿Quién lo sabe?"

¡Cuántos cisnes jugando en la laguna!
¡Qué azules brincan las traviesas olas!
En el sereno ambiente, ¡cuánta luna!
Mas las almas, ¡qué tristes y qué solas!

En las ondas de plata
de la atmósfera tibia y transparente,
como una Ofelia náufraga y doliente,
¡va flotando la tierna serenata!

Hay ternura y dolor en ese canto,
y tiene esa amorosa despedida
la transparencia nítida del llanto,
¡y la inmensa tristeza de la vida!

¿Qué tienen esas notas? ¿Por qué lloran?
Parecen ilusiones que se alejan,
sueños amantes que piedad imploran,
y, como niños huérfanos, ¡se quejan!

Bien sabe el trovador cuán inhumana
para todos los buenos es la suerte...
que la dicha es de ayer... y que "mañana"
es el dolor, la oscuridad, ¡la muerte!

El alma se compunge y estremece
al oír esas notas sollozadas...

¡Sentimos, recordamos, y parece
que surgen muchas cosas olvidadas!

¡Un peinador muy blanco y un piano!
Noche de luna y de silencio afuera...
Un volumen de versos en mi mano,
y en el aire, y en todo, ¡primavera!

¡Qué olor de rosas frescas! En la alfombra,
¡qué claridad de luna!, ¡qué reflejos!...
¡Cuántos besos dormidos en la sombra!
Y la muerte, la pálida, ¡qué lejos!

En torno al velador, niños jugando...
La anciana, que en silencio nos veía...
Schubert en tu piano sollozando,
y en mi libro, Musset con su *Lucía*.

¡Cuántos sueños en mi alma y en tu alma!
¡Cuántos hermosos versos! ¡Cuántas flores!
En tu hogar apacible, ¡cuánta calma!
Y en mi pecho, ¡qué inmensa sed de amores!

¡Y todo ya muy lejos! ¡Todo ido!
¿En dónde está la rubia soñadora?
¡Hay muchas aves muertas en el nido,
y vierte muchas lágrimas la aurora!

...Todo lo vuelvo a ver..., ¡pero no existe!
Todo ha pasado ahora..., ¡y no lo creo!
Todo está silencioso, todo triste...
¡Y todo alegre, como entonces, veo!

...Esa es la casa... ¡Su ventana, aquélla!
Ese el sillón en que bordar solía...
la reja verde... y la apacible estrella
que mis nocturnas pláticas oía.

Bajo el cedro robusto y arrogante,
que allí domina la calleja oscura,
por la primera vez y palpitante
estreché entre mis brazos su cintura.

¡Todo presente en mi memoria queda
la casa blanca, y el follaje espeso...
el lago azul... el huerto... la arboleda,
donde nos dimos, sin pensarlo, un beso!

Y te busco, cual antes te buscaba,
y me parece oírte entre las flores,
cuando la arena del jardín rozaba
el percal de tus blancos peinadores.

¡Y nada existe ya! Calló el piano...
Cerraste, virgencita, la ventana...
y oprimiendo mi mano con tu mano,
me dijiste también: "¡Hasta mañana!"

¡Hasta mañana!... ¡Y el amor risueño
no pudo en tu camino detenerte!
Y lo que tú pensaste que era el sueño,
sueño fue, pero inmenso: ¡el de la muerte!

¡Ya nunca volveréis, noches de plata!
Ni unirán en mi alma su armonía
Schubert, con su doliente serenata,
y el pálido Musset con su *Lucía*.

MIMI

Llenad la alcoba de flores
y solo dejadme aquí;
quiero llorar mis amores,
que ya está muerta Mimí.

Sobre su lecho tendida,
inmóvil y blanca está;
parece como dormida;
pero no despertará.

En balde mi mano toca
sus rizos color de té,
y en balde beso su boca,
porque Mimí ya se fue!

Dejadme: tal vez despierta
pronto la veré saltar,
pero cerrad bien la puerta
por si se quiere escapar.

¡Mimí, la verde pradera
perfuma el blanco alelí,
ya volvió la primavera,
vamos al campo, Mimí!

¡Deja el lecho, perezosa!
Hoy es domingo, mi bien.
Está la mañana hermosa
y cerrado tu almacén.

Ata las bridas flotantes
de tu capota gentil,
mentras cubro con los guantes
tus manitas de marfil.

Abre tus ojos, ¡despierta!
¿No sabes que estoy aquí?
¿Verdad que tú no estás muerta?
Despierta, rubia Mimí!

Quiero en vano que responda,
ya nunca más la veré!

La pobre niñita blonda,
que me quiso, ya se fue!

En sus manos, hoy tan quietas,
dejo ya mi juventud,
y con azules violetas
cubro su blanco ataúd.

Si alegre, gallarda y bella
la veis pasar por allí,
no os imaginéis que es ella...
¡Ya está bien muerta Mimí!

A UN TRISTE

¿Por qué de amor la barca voladora
con ágil mano detener no quieres
y esquivo menosprecias los placeres
de Venus, la impasible vencedora?

A no volver los años juveniles
huyen como saetas disparadas
por mano de invisible Sagitario;
triste vejez, como ladrón nocturno,
sorpréndenos sin guarda ni defensa,
y con la extremidad de su arma inmensa
la copa del placer vuelca Saturno.

¡Aprovecha el minuto y el instante!
Hoy te ofrece rendida la hermosura
de sus hechizos el gentil tesoro,
y llamándote ufana en la espesura,
suelta Pomona sus cabellos de oro.

En la popa del barco empavesado
que navega veloz rumbo a Citeres,
de los amigos el clamor te nombra,

mientras, tendidas en la egipcia alfombra,
sus crótalos agitan las mujeres.

Deja, por fin, la solitaria playa,
y coronado de fragantes flores
descansa en la barquilla de las diosas.
¿Qué importa lo fugaz de los amores?
¡También expiran jóvenes las rosas!

MARIPOSAS

Ora blancas cual copos de nieve,
ora negras, azules o rojas,
en miriadas esmaltan el aire,
y en los pétalos frescos retozan.
Leves saltan del cáliz abierto,
como prófugas almas de rosas,
y con gracia gentil se columpian
en sus verdes hamacas de hojas.
Una chispa de luz les da vida
y una gota al caer las ahoga;
aparecen al claro del día,
y ya muertas las halla la sombra.

¿Quién conoce sus nidos ocultos?
¿En qué sitio de noche reposan?
¡Las coquetas no tienen morada!
Las volubles no tienen alcoba!
Nacen, aman y brillan y mueren;
en el aire al morir se transforman,
y se van, sin dejarnos su huella,
cual de tenue llovizna las gotas.
Tal vez unas en flores se truecan,
y llamadas al cielo las otras,
con millones de alitas compactas
el arco iris espléndido forman.

Vagabundas, ¿en dónde está el nido?
Sultanita, ¿qué harén te aprisiona?
¿A qué amante prefieres, coqueta?
¿En qué tumba dormís, mariposas?

¡Así vuelan y pasan y expiran
las quimeras de amor y de gloria,
esas alas brillantes del alma,
ora blancas, azules o rojas!
¿Quién conoce en qué sitio os perdisteis,
ilusiones que sois mariposas?
¡Cuán ligero voló vuestro enjambre
al caer en el alma la sombra!
Tú, la blanca, ¿por qué ya no vienes?
¿No era fresco el azahar de mi novia?
Te formé con un grumo del cirio
que de niño llevé a la parroquia;
eras casta, creyente, sencilla,
y al posarte temblando en mi boca,
murmurabas, heraldo de goces:
—¡Ya está cerca tu noche de bodas!

¡Ya no viene la blanca, la buena!
Ya no viene tampoco la roja,
la que en sangre teñí, beso vivo,
al morder unos labios de rosa;
ni la azul que me dijo: "¡Poeta!",
ni la de oro, promesa de gloria.
¡Ha caído la tarde en el alma!
¡Es de noche... ya no hay mariposas!
Encended ese lirio amarillo...
Ya vendrán en tumulto las otras,
las que tienen las alas muy negras
y se acercan en fúnebre ronda.

¡Compañeras, la cera está ardiendo;
compañeras, la pieza está sola!

Si por mi alma os habéis enlutado,
¡venid pronto, venid, mariposas!

DE BLANCO

¿Qué cosa más blanca que cándido lirio?
¿Qué cosa más pura que místico cirio?
¿Qué cosa más casta que tierno azahar?
¿Qué cosa más virgen que leve neblina?
¿Qué cosa más santa que el ara divina
del gótico altar?

¡De blancas palomas el aire se puebla;
con túnica blanca, tejida de niebla,
se envuelve a lo lejos feudal torreón;
erguida en el huerto la trémula acacia
al soplo del viento sacude con gracia
su níveo pompón!

¿No ves en el monte la nieve que albea?
La torre muy blanca domina la aldea,
las tiernas ovejas triscando se van,
de cisnes intactos el lago se llena,
columpia su copa la enhiesta azucena,
y su ánfora inmensa levanta el volcán.

Entremos al templo: la hostia fulgura;
de nieve parecen las canas del cura,
vestido con alba de lino sutil;
cien niñas hermosas ocupan las bancas,
y todas vestidas con túnicas blancas
en ramos ofrecen las flores de abril.

Subamos al coro: la virgen propicia
escucha los rezos de casta novicia,
y el cristo de mármol expira en la cruz;

sin mancha se yerguen las velas de cera;
de encaje es la tenue cortina ligera
que ya transparenta del alba la luz.

Bajemos al campo: tumulto de plumas
parece el arroyo de blancas espumas
que quieren, cantando, correr y saltar;
la airosa mantilla de fresca neblina
terció la montaña: la vela latina
de barca ligera se pierde en el mar.

Ya salta del lecho la joven hermosa,
y el agua refresca sus hombros de diosa,
sus brazos ebúrneos, su cuello gentil;
cantando y risueña se ciñe la enagua,
y trémulas brillan las gotas del agua
en su árabe peine de blanco marfil.

¡Oh mármol! ¡Oh nieves! ¡Oh inmensa blancura
que esparces doquiera tu casta hermosura!
¡Oh tímida virgen! ¡Oh casta vestal!
Tu estás en la estatua de eterna belleza,
de tu hábito blanco nació la pureza,
¡al ángel das alas, sudario al mortal!

Tú cubres al niño que llega a la vida,
coronas las sienes de fiel prometida,
al paje revistes de rico tisú.
¡Qué blancos son, reina, los mantos de armiño!
¡Qué blanca es, oh madre, la cuna del niño!
¡Qué blanca, mi amada, qué blanca eres tú!

En sueños ufanos de amores contemplo
alzarse muy blancas las torres de un templo
y oculto entre lirios abrirse un hogar;
y el velo de novia prenderse a tu frente,
cual nube de gasa que cae lentamente
y viene en tus hombros su encaje a posar.

EL HADA VERDE

¡En tus abismos, negros y rojos,
fiebre implacable, mi alma se pierde;
y en tus abismos miro los ojos,
los ojos verdes del hada verde!

En nuestra musa glauca y sombría,
la copa rompe, la lira quiebra,
y a nuestro cuello se enrosca impía
como culebra!

Llega y nos dice: —¡Soy el olvido;
yo tus dolores aliviaré!
Y entre sus brazos, siempre dormido,
yace Musset.

¡Oh musa verde! Tú la que flotas
en nuestras vidas enardecidas,
tú la que absorbes, tú la que agotas
almas y vidas!

En las pupilas concupiscencia;
juego en la mesa donde se pierde
con el dinero, vida y conciencia,
en nuestras copas eres demencia . . .
¡oh musa verde!

Son ojos verdes los que buscamos,
verde el tapete donde jugué,
verdes absintios los que apuramos,
y verde el sauce que colocamos
en tu sepulcro, pobre Musset!

PARA UN MENU

Las novias pasadas son copas vacías;
en ellas pusimos un poco de amor;
el néctar tomamos . . . huyeron los días . . .
¡Traed otras copas con nuevo licor!

Champagne son las rubias de cutis de azalia;
Borgoña los labios de vivo carmín;
los ojos oscuros son vinos de Italia,
¡los verdes y claros son vino del Rhin!

Las bocas de grana son húmedas fresas,
las negras pupilas escancian café,
son ojos azules las llamas traviesas
¡que trémulas corren como almas del té!

La copa se apura, la dicha se agota;
de un sorbo tomamos mujer y licor...
Dejemos las copas... Si queda una gota,
¡que beba el lacayo las heces de amor!

PAX ANIMAE

¡Ni una palabra de dolor blasfemo!
Sé altivo, sé gallardo en la caída,
¡y ve, poeta, con desdén supremo,
todas las injusticias de la vida!

No busques la constancia en los amores,
no pidas nada eterno a los mortales,
y haz, artista, con todos tus dolores
excelsos monumentos sepulcrales.

En mármol blanco tus estatuas labra,
castas en la actitud, aunque desnudas,
y que duerma en sus labios la palabra...
y se muestren muy tristes..., ¡pero mudas!

¡El nombre!... ¡Débil vibración sonora
que dura apenas un instante! ¡El nombre!...
¡Idolo torpe que el iluso adora!
¡Ultima y triste vanidad del hombre!

¿A qué pedir justicia ni clemencia
—si las niegan los propios compañeros—
a la glacial y muda indiferencia
de los desconocidos venideros?

¿A qué pedir la compasión tardía
de los extraños que la sombra esconde?
¡Duermen los ecos de la selva umbría,
y nadie, nadie a nuestra voz responde!

En esta vida el único consuelo
es acordarse de las horas bellas,
y alzar los ojos para ver el cielo...
cuando el cielo está azul o tiene estrellas.

Huír del mar, y en el dormido lago
disfrutar de las ondas el reposo...
Dormir... soñar... El sueño, nuestro mago,
¡es un sublime y santo mentiroso!

...¡Ay! Es verdad que en el honrado pecho
pide venganza la reciente herida...;
pero... ¡perdona el mal que te hayan hecho!,
¡todos están enfermos de la vida!

Los mismos que de flores se coronan,
para el dolor, para la muerte nacen...
Si los que tú más amas te traicionan,
¡perdónalos, no saben lo que hacen!

Acaso esos instintos heredaron,
y son los inconscientes vengadores
de razas o de estirpes que pasaron
acumulando todos los rencores.

¿Eres acaso el juez? ¿El impecable?
¿Tú la justicia y la piedad reúnes?
...¿Quién no es el fugitivo responsable
de alguno o muchos crímenes impunes?

¿Quién no ha mentido amor y ha profanado
de un alma virgen el sagrario augusto?
¿Quién está cierto de no haber matado?
¿Quién puede ser el justiciero, el justo?

¡Lástimas y perdón para los vivos!
Y así, de amor y mansedumbre llenos,
seremos cariñosos, compasivos...
¡y alguna vez, acaso, acaso buenos!

¿Padeces? Busca a la gentil amante,
a la impasible e inmortal belleza,
y ve apoyado, como Lear errante,
en tu joven Cordelia: la tristeza.

Mira: se aleja perezoso el día...
¡Qué bueno es descansar! El bosque obscuro
nos arrulla con lánguida armonía...
El agua es virgen. El ambiente es puro.

La luz, cansada, sus pupilas cierra;
se escuchan melancólicos rumores,
y la noche, al bajar, dice a la tierra:
"Vamos... ya está... ya duérmete... no llores!"

....

Recordar... Perdonar... Haber amado...
Ser dichoso un instante, haber creído...
Y luego... reclinarse fatigado
en el hombro de nieve del olvido.

Sentir eternamente la ternura
que en nuestros pechos jóvenes palpita,
y recibir, si llega, la ventura
como a hermosa que viene de visita.

Siempre escondido lo que más amamos:
¡siempre en los labios el perdón risueño;
hasta que, al fin, ¡oh tierra!, a ti vayamos
con la invencible laxitud del sueño!

Esa ha de ser la vida del que piensa
en lo fugaz de todo lo que mira,
y se detiene, sabio, ante la inmensa
extensión de tus mares, ¡oh Mentira!

Corta las flores, mientras haya flores;
perdona las espinas a las rosas...
¡También se van y vuelan los dolores
como turbas de negras mariposas!

Ama y perdona. Con valor resiste
lo injusto, lo villano, lo cobarde...
¡Hermosamente pensativa y triste
está al caer la silenciosa tarde!

....

Cuando el dolor mi espíritu sombrea
busco en las cimas claridad y calma,
¡y una infinita compasión albea
en las heladas cumbres de mi alma!

PARA ENTONCES

Quiero morir cuando decline el día,
en alta mar y con la cara al cielo;
donde parezca un sueño la agonía,
y el alma, un ave que remonta el vuelo.

No escuchar en los últimos instantes,
ya con el cielo y con el mar a solas,
más voces ni plegarias sollozantes
que el majestuoso tumbo de las olas.

Morir cuando la luz triste retira
sus áureas redes de la onda verde,
y ser como ese sol que lento expira:
algo muy luminoso que se pierde.

Morir, y joven: antes que destruya
el tiempo aleve la gentil corona;
cuando la vida dice aún: "Soy tuya",
¡aunque sepamos bien que nos traiciona!

JULIAN DEL CASAL

1863 - 93

Cuba. Su obra, de forma escultórica, es un anuncio del Modernismo en la línea de la factura elegante, con la gravedad de Guillermo Valencia en el pensar y con el estilo garboso de Salvador Díaz Mirón. Casal vivió enamorado de las lejanías, de todo lo exótico, rasgo que le acerca mucho al Modernismo, y además proyectó viajes que jamás hizo (uno solo le llevó hasta España, pero fue de muy breve duración) como prueba de que le venía estrecho el ámbito de su tierra nativa y del mundo cultural que a ésta le correspondía.

A LA BELLEZA

¡Oh, divina Belleza! Visión casta
de incógnito santuario,
yo muero de buscarte por el mundo
sin haberte encontrado.
Nunca te han visto mis inquietos ojos,
pero en el alma guardo
intuición poderosa de la esencia
que anima tus encantos.
Ignoro en qué lenguaje tú me hablas,
pero, en idioma vago,
percibo tus palabras misteriosas
y te envío mis cantos.
Tal vez sobre la tierra no te encuentre,
pero febril te aguardo,
como el enfermo, en la nocturna sombra,
del sol el primer rayo.
Yo sé que eres más blanca que los cisnes,
más pura que los astros,

fría como las vírgenes y amarga
cual corrosivos ácidos.
Ven a calmar las ansias infinitas
que, como mar airado,
impulsan el esquife de mi alma
hacia país extraño.
Yo sólo ansío, al pie de tus altares,
brindarte en holocausto
la sangre que circula por mis venas
y mis ensueños castos.
En las horas dolientes de la vida
tu protección demando,
como el niño que marcha entre zarzales
tiende al viento los brazos.
Quizás como te sueña mi deseo
estés en mí reinando,
mientras voy persiguiendo por el mundo
las huellas de tu paso.
Yo te busqué en el fondo de las almas
que el mal no ha mancillado
y surgen del estiércol de la vida
cual lirios de un pantano.
En el seno tranquilo de la ciencia
que, cual tumba de mármol,
guarda tras la bruñida superficie
podredumbre y gusanos.
En brazos de la gran Naturaleza,
de los que huí temblando
cual del regazo de la madre infame
huye el hijo azorado.
En la infinita calma que se aspira
en los templos cristianos
como el aroma sacro del incienso
en ardiente incensario.
En las ruinas humeantes de los siglos,
del dolor en los antros

y en el fulgor que irradian las proezas
del heroísmo humano.
Ascendiendo del Arte a las regiones
sólo encontré tus rasgos
de un pintor en los lienzos inmortales
y en las rimas de un bardo.
Mas como nunca en mi áspero sendero
cual te soñé te hallo,
moriré de buscarte por el mundo
sin haberte encontrado.

EN EL CAMPO

Tengo el impuro amor de las ciudades,
y a este sol que ilumina las edades
prefiero yo del gas las claridades.

A mis sentidos lánguidos arroba,
más que el olor de un bosque de caoba,
el ambiente enfermizo de una alcoba.

Mucho más que las selvas tropicales,
plácenme los sombríos arrabales
que encierran las vetustas capitales.

A la flor que se abre en el sendero,
como si fuese terrenal lucero,
olvido por la flor de invernadero.

Más que la voz del pájaro en la cima
de un árbol todo en flor, a mi alma anima
la música armoniosa de una rima.

Nunca a mi corazón tanto enamora
el rostro virginal de una pastora,
como un rostro de regia pecadora.

Al oro de la mies en primavera,
yo siempre en mi capricho prefiriera
el oro de teñida cabellera.

No cambiara sedosas muselinas
por los velos de nítidas neblinas
que la mañana prende en las colinas.

Más que el raudal que baja de la cumbre
quiero oír a la humana muchedumbre
gimiendo en su perpetua servidumbre.

El rocío que brilla en la montaña
no ha podido decir a mi alma extraña
lo que el llanto al bañar una pestaña.

Y el fulgor dc los astros rutilantes
no trueco por los vívidos cambiantes
del ópalo, la perla o los diamantes.

NEUROSIS

Noemí, la pálida pecadora
de los cabellos color de aurora
y las pupilas de verde mar,
entre cojines de raso lila,
con el espíritu de Dalila,
deshoja el cáliz de un azahar.

Arde a sus plantas la chimenea
donde la leña chisporrotea
lanzando en torno seco rumor,
y alzada tiene su tapa el piano
en que vagaba su blanca mano
cual mariposa de flor en flor.

Un biombo rojo de seda china
abre sus hojas en una esquina
con grullas de oro volando en cruz,
y en curva mesa de fina laca
ardiente lámpara se destaca
de la que surge rosada luz.

Blanco abanico y azul sombrilla,
con unos guantes de cabritilla
yacen encima del canapé,
mientras en taza de porcelana,
hecha con tintas de la mañana,
humea el alma verde del té.

Pero, ¿qué piensa la hermosa dama?
¿Es que su príncipe ya no la ama
como en los días de amor feliz,
o que en los cofres del gabinete
ya no conserva ningún billete
de los que obtuvo por un desliz?

¿Es que la rinde crüel anemia?
¿Es que en sus búcaros de Bohemia
rayos de luna quiere encerrar,
o que, con suave mano de seda,
del blanco cisne que amaba Leda
ansia las plumas acariciar?

¡Ay! Es que en horas de desvarío
para consuelo del regio hastío
que en su alma esparce quietud mortal,
un sueño antiguo le ha aconsejado
beber en copa de ónix labrado
la roja sangre de un tigre real.

NOSTALGIAS

I

Suspiro por las regiones
donde vuelan los alciones
sobre el mar,
y el soplo helado del viento
parece en su movimiento
sollozar;
donde la nieve que baja
del firmamento, amortaja
el verdor
de los campos olorosos
y de ríos caudalosos
el rumor;
donde ostenta siempre el cielo,
a través de áereo velo,
color gris,
y es más hermosa la Luna,
y cada estrella más que una
flor de lis.

II

Otras veces sólo ansío
bogar en firme navío,
o existir
en ningún país remoto,
sin pensar en el ignoto
porvenir.
Ver otro cielo, otro monte,
otra playa, otro horizonte,
otro mar,
otros pueblos, otras gentes
de maneras diferentes
de pensar.

¡Ah! Si yo un día pudiera,
con qué júbilo partiera
para Argel,
donde tiene la hermosura
el color y la frescura
del clavel.
Después fuera en caravana
por la llanura africana
bajo el sol
que, con sus vivos destellos,
pone un tinte en los camellos
tornasol.
Y cuando el día expirara,
mi árabe tienda plantara
en mitad
de la llanura ardorosa
inundada de radiosa
claridad.

Cambiando de rumbo luego,
dejara el país de fuego
para ir
hasta el Imperio florido
en que el opio da el olvido
de vivir.
Vegetara allí contento
de alto bambú corpulento
junto al pie,
o aspirando en rica estancia
la embriagadora fragancia
que da el té.
De la luna al claro brillo
iría al Río Amarillo
a esperar
la hora en que, el botón roto,
comienza la flor de loto
a brillar.

O mi vista deslumbrara
tanta maravilla rara
que el buril
de artista ignorado y pobre
graba en sándalo o en cobre
o en marfil.

Cuando tornara el hastío
en el espíritu mío
a reinar,
cruzando el inmenso piélago
fuera a taitiano archipiélago
a encallar.

A aquel en que vieja historia
asegura a mi memoria
que se ve
el lago en que un hada peina
los cabellos de la reina
Pomaré.

Así errabundo viviera
sintiendo toda quimera
rauda huír,
y hasta olvidando la hora
incierta y aterradora
de morir.

III

Mas no parto. Si partiera
al instante yo quisiera
regresar.
¡Ay! ¿Cuándo querrá el Destino
que yo pueda en mi camino
reposar?

DIA DE FIESTA

Un cielo gris. Morados estandartes
con escudo de oro; vibraciones
palmas verdes ondeando en todas partes;

banderas tremolando en los baluartes;
de altas campanas; báquicas canciones;
figuras femeninas en balcones;
estampidos cercanos de cañones;
gentes que lucran por diversas artes.

Mas ¡ay! mientras la turba se divierte,
y se agita en ruidoso movimiento
como una mar de embravecidas olas,

circula por mi ser frío de muerte,
y en lo interior del alma sólo siento
ansia infinita de llorar a solas.

JOSE ASUNCION SILVA

1865 - 1896

Colombia. Extremó la nota de la amargura suicidándose a los treinta y un años. Su obra es dispareja y quedó incompleta por la pérdida de manuscritos en un naufragio. Es además difícil estudiarla a fondo porque existen diferentes versiones de sus poemas, todas de autoridad más o menos pareja. Su *Nocturno* abrió huella profunda para los modernistas de sus días (se publicó la primera vez en 1894), en quienes la imagen concordante de la luna, las sombras, el silencio nocturno, las siluetas enlazadas, despertaron nueva conciencia para el decir poético. Es notable también el *Nocturno* por la audacia métrica con que está ejecutado, excepción en la forma de los demás poemas de Silva, todos muy sencillos en ese aspecto.

ARS

El verso es vaso santo: poned en él tan sólo
un pensamiento puro,
en cuyo fondo bullan hirvientes las imágenes
como burbujas de oro de un viejo vino oscuro.

Allí verted las flores que en la continua lucha
ajó del mundo el frío,
recuerdos deliciosos de tiempos que no vuelven,
y nardos empapados en gotas de rocío.

Para que la existencia mísera se embalsame
cual de una esencia ignota,
quemándose en el fuego del alma enternecida,
de aquel supremo bálsamo ¡basta una sola gota!

RISA Y LLANTO

Juntos los dos reímos cierto día...
¡Ay, y reímos tanto,
que toda aquella risa bulliciosa
se tornó de pronto en llanto!

Después, juntos los dos, alguna noche,
lloramos mucho, tanto,
que quedó como huella de las lágrimas
un misterioso encanto!

Nacen hondos suspiros, de la orgía
entre las copas cálidas,
y en el agua salobre de los mares
se forjan perlas pálidas!

DIME

Oh dulce niña pálida, que como un montón de oro
de tu inocencia cándida conservas el tesoro;
a quien los más audaces, en locos devaneos,
jamás se han acercado con carnales deseos;
tú, que adivinar dejas inocencias extrañas
en tus ojos velados por sedosas pestañas,
y en cuyos dulces labios, abiertos sólo al rezo,
jamás se habrá posado ni la sombra de un beso...;
dime quedo, en secreto, al oído, muy paso,
con esa voz que tiene suavidades de raso:
si entrevieras dormida a aquél con quien tú sueñas,
tras las horas de baile rápidas y risueñas,
y sintieras sus labios anidarse en tu boca
y recorrer tu cuerpo, y en su lascivia loca
besar todos sus pliegues de tibio aroma llenos
y las rígidas puntas rosadas de tus senos;
si en los locos, ardientes y profundos abrazos

agonizar soñaras de placer en sus brazos,
por aquél de quien eres todas las alegrías,
¡oh dulce niña pálida!, di, ¿te despertarías?

OBRA HUMANA

En lo profundo de la selva añosa
donde una noche, al comenzar de Mayo,
tocó en la vieja enredadera hojosa
de la pálida luna el primer rayo,

pocos meses después la luz de aurora
del gas en la estación iluminaba
el paso de la audaz locomotora,
que en el carril durísimo cruzaba.

Y donde fuera en otro tiempo el nido,
albergue muelle del alado enjambre,
pasó por el espacio un escondido
telegrama de amor, por el alambre.

TALLER MODERNO

Por el aire del cuarto, saturado
de un olor de vejeces peregrino,
del crepúsculo el rayo verpertino
va a desteñir los muebles de brocado.

El piano está del caballete al lado
y de un busto del Dante el perfil fino,
del arabesco azul de un jarro chino,
medio oculta el dibujo complicado.

Junto al rojizo orín de una armadura,
hay un viejo retablo, donde inquieta,
brilla la luz del marco en la moldura,

y parecen clamar por un poeta
que improvise del cuarto la pintura
las manchas de color de la paleta.

NOCTURNO

Una noche
una noche toda llena de murmullos, de perfumes y de
(músicas de alas,
una noche
en que ardían en la sombra nupcial y húmeda las luciérnagas
(fantásticas,
a mi lado, lentamente, contra mí ceñida toda, muda y pálida,
como si un presentimiento de amarguras infinitas
hasta el más secreto fondo de las fibras te agitara,
por la senda florecida
que atraviesa la llanura
caminabas,
y la luna llena
por los cielos azulosos, infinitos y profundos esparcía su luz
(blanca,
y tu sombra
fina y lánguida,
y mi sombra
por los rayos de la luna proyectada
sobre las arenas tristes
de la senda se juntaban
y eran una
y eran una
¡y eran una sola sombra larga!
¡y eran una sola sombra larga!
¡y eran una sola sombra larga!

Esta noche
solo, el alma
llena de las infinitas amarguras y agonías de tu muerte,

separado de ti misma por el tiempo, por la tumba y la
(distancia,
por el infinito negro
donde nuestra voz no alcanza,
solo y mudo
por la senda caminaba,
y se oían los ladridos de los perros a la luna,
a la luna pálida,
y el chirrido
de las ranas...
Sentí frío. Era el frío que tenían en tu alcoba
tus mejillas y tus sienes y tus manos adoradas,
entre las blancuras níveas
de las mortuorias sábanas!
Era el frío del sepulcro, era el hielo de la muerte,
era el frío de la nada...
Y mi sombra
por los rayos de la luna proyectada,
iba sola,
iba sola,
iba sola por la estepa solitaria;
y tu sombra esbelta y ágil,
fina y lánguida,
como en esa noche tibia de la muerta primavera,
como en esa noche llena de murmullos, de perfumes y de
(música de alas,
se acercó y marchó con ella,
se acercó y marchó con ella,
se acercó y marchó con ella...
¡Oh las sombras enlazadas!
¡Oh las sombras de los cuerpos que se juntan con la sombra
(de las almas!
¡Oh las sombras que se buscan en las noches de tristezas y
(de lágrimas!

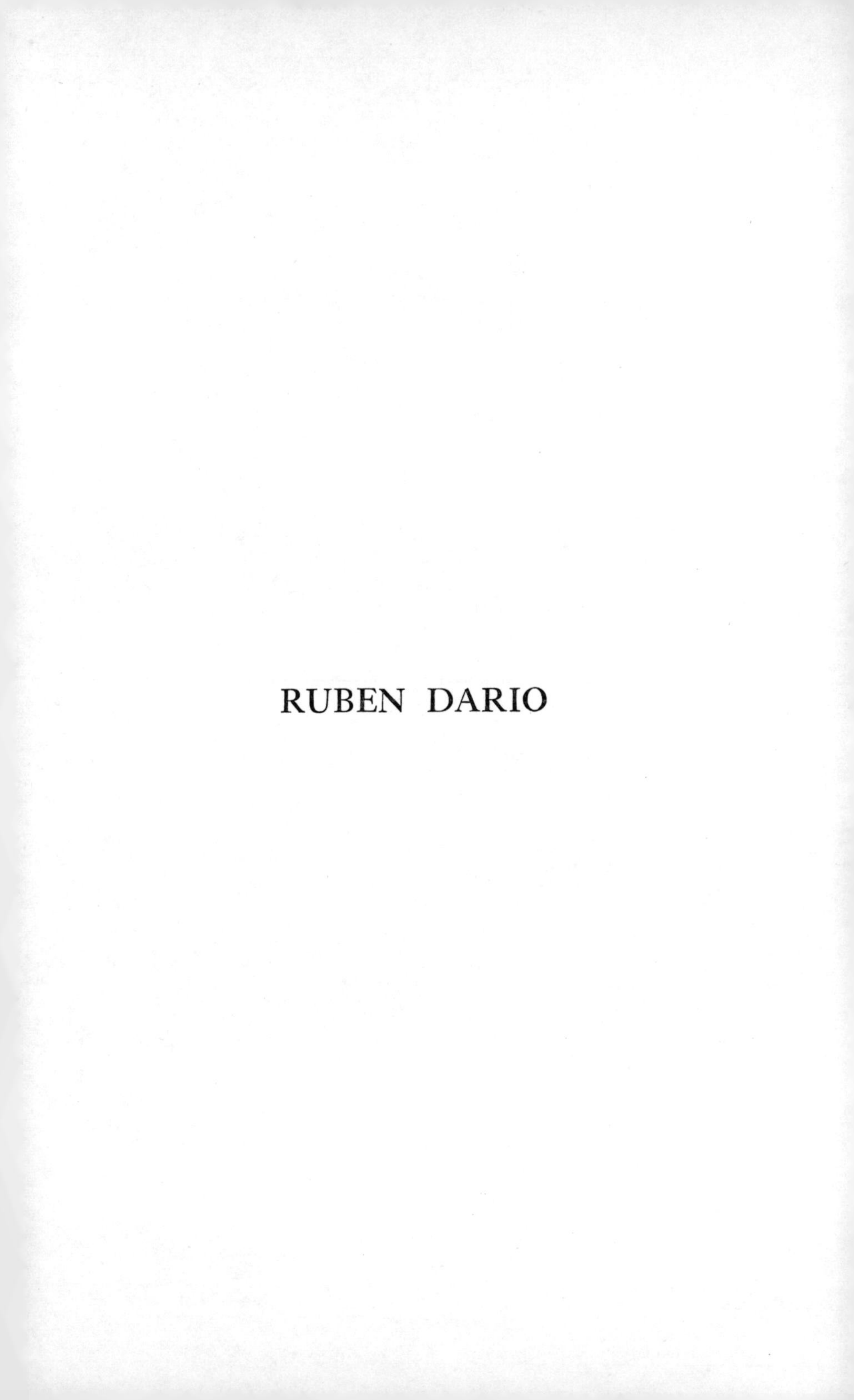

RUBEN DARIO

RUBEN DARIO

1867 - 1916

Nicaragua. Difícil es sintetizar la obra de Darío en unas cuantas líneas. Desde el punto de vista que más nos interesa en este caso, cabe recordar que fue el jefe indiscutido del movimiento modernista, si bien la exposición teórica que alguna vez sintió la tentación de hacer a propósito de las intenciones que procuraba alcanzar como artista, no siempre fue la más feliz. Son sus propios versos, en cambio, los que indican cuáles eran sus ideales en la vida y en el arte. La selección que sigue contiene sólo composiciones de carácter modernista, ya que Darío fue, además, autor de muchas otras en que obedece a otros principios.

PRIMAVERAL

Mes de rosas. Van mis rimas
en ronda a la vasta selva,
a recoger miel y aromas
en las flores entreabiertas.
Amada, ven. El gran bosque
es nuestro templo; allí ondea
y flota un santo perfume
de amor. El pájaro vuela
de un árbol a otro y saluda
tu frente rosada y bella
como a un alba; y las encinas
robustas, altas, soberbias,
cuando tú pasas agitan
sus hojas verdes y trémulas,
y enarcan sus ramas como
para que pase una reina.
¡Oh, amada mía! Es el dulce
tiempo de la primavera.

Miren tus ojos los míos;
da al viento la cabellera,
y que bañe el sol ese oro
de luz salvaje y espléndida.
Dame que aprieten mis manos
las tuyas de rosa y seda,
y ríe, y muestren tus labios
su púrpura húmeda y fresca.
Yo voy a decirte rimas,
tú vas a escuchar risueña;
si acaso algún ruiseñor
viniese a posarse cerca,
y a contar alguna historia
de ninfas, rosas o estrellas,
tú no oirás notas ni trinos,
sino, enamorada y regia,
escucharás mis canciones
fija en mis labios que tiemblan.
¡Oh, amada mía! Es el dulce
tiempo de la primavera.

Allá hay una clara fuente
que brota de una caverna,
donde se bañan desnudas
las blancas ninfas que juegan.
Ríen al son de la espuma,
hienden la linfa serena,
entre polvo cristalino
esponjan sus cabelleras,
y saben himnos de amores
en hermosa lengua griega,
que en glorioso tiempo antiguo
Pan inventó en las florestas.
Amada, pondré en mis rimas
la palabra más soberbia
de las frases, de los versos,
de los himnos de esa lengua;

y te diré esa palabra
empapada en miel hiblea...
¡Oh, amada mía! en el dulce
tiempo de la primavera.

Van en sus grupos vibrantes
revolando las abejas
como un áureo torbellino
que la blanca luz alegra;
y sobre el agua sonora
pasan radiantes, ligeras,
con sus alas cristalinas
las irisadas libélulas.
Oye: canta la cigarra
porque ama al sol, que en la selva
su polvo de oro tamiza
entre las hojas espesas.
Su aliento nos da en un soplo
fecundo la madre tierra,
con el alma de los cálices
y el aroma de las yerbas.

¿Ves aquel nido? Hay un ave.
Son dos: el macho y la hembra.
Ella tiene el buche blanco,
él tiene las plumas negras.
En la garganta el gorjeo,
las alas blandas y trémulas;
y los picos que se chocan
como labios que se besan.
El nido es cántico. El ave
incuba el trino, ¡oh poetas!
De la lira universal
el ave pulsa una cuerda.
Bendito el calor sagrado
que hizo reventar las yemas,
¡oh, amada mía!, en el dulce
tiempo de la primavera!

Mi dulce musa Delicia
me trajo un ánfora griega
de vino de Naxos llena;
cincelada en alabastro,
y una hermosa copa de oro,
la base henchida de perlas,
para que bebiese el vino
que es propicio a los poetas.
En el ánfora está Diana,
real, orgullosa y esbelta,
con su desnudez divina
y en su actitud cinegética.
Y en la copa luminosa
está Venus Citerea
tendida cerca de Adonis
que sus caricias desdeña.
No quiero el vino de Naxos
ni el ánfora de ansas bellas,
ni la copa donde Cipria
al gallardo Adonis ruega.
Quiero beber el amor
sólo en tu boca bermeja,
¡oh, amada mía, en el dulce
tiempo de la primavera!

AUTUMNAL

En las pálidas tardes
yerran nubes tranquilas
en el azul; en las ardientes manos
se posan las cabezas pensativas.
¡Ah los suspiros! ¡Ah los dulces sueños!
¡Ah las tristezas íntimas!
¡Ah el polvo de oro que en el aire flota,
tras cuyas ondas trémulas se miran
los ojos tiernos y húmedos,

las bocas inundadas de sonrisas,
las crespas cabelleras
y los dedos de rosa que acarician!

En las pálidas tardes
me cuenta un hada amiga
las historias secretas
llenas de poesía:
lo que cantan los pájaros,
lo que llevan las brisas,
lo que vaga en las nieblas,
lo que sueñan las niñas.

Una vez sentí el ansia
de una sed infinita.
Dije al hada amorosa:
—Quiero en el alma mía
tener la inspiración honda, profunda,
inmensa: luz, calor, aroma, vida.
Ella me dijo: —¡Ven! con el acento
con que hablaría un arpa. En él había
un divino idioma de esperanza.
¡Oh sed del ideal!

Sobre la cima
de un monte, a media noche,
me mostró las estrellas encendidas.
Era un jardín de oro
con pétalos de llama que titilan.
Exclamé: —¡Más! . . .

La aurora
vino después. La aurora sonreía,
con la luz en la frente,
como la joven tímida
que abre la reja, y la sorprenden luego
ciertas curiosas, mágicas pupilas.

Y dije: —¡Más! . . . Sonriendo
la celeste hada amiga
prorrumpió: —¡Y bien! ¡Las flores!

Y las flores
estaban frescas, lindas,
empapadas de olor: la rosa virgen,
la blanca margarita,
la azucena gentil y las volúbiles
que cuelgan de la rama estremecida.
Y dije: —¡Más!

El viento
arrastraba rumores, ecos, risas,
murmullos misteriosos, aleteos,
músicas nunca oídas.
El hada entonces me llevó hasta el velo
que nos cubre las ansias infinitas,
la inspiración profunda,
y el alma de las liras.
Y lo rasgó. Y allí todo era aurora.
En el fondo se vía
un bello rostro de mujer.

¡Oh, nunca,
Piérides, diréis las sacras dichas
que en el alma sintiera!
—¿Más? . . . —dijo el hada. Y yo tenía entonces
clavadas las pupilas
en el azul; y en mis ardientes manos
se posó mi cabeza pensativa . . .

INVERNAL

Noche. Este viento vagabundo lleva
las alas entumidas
y heladas. El gran Andes
yergue al inmenso azul su blanca cima.

La nieve cae en copos,
sus rosas transparentes cristaliza;
en la ciudad, los delicados hombros
y gargantas se abrigan;
ruedan y van los coches,
suenan alegres pianos, el gas brilla;
y, si no hay un fogón que le caliente,
el que es pobre tirita.

Yo estoy con mis radiantes ilusiones
y mis nostalgias íntimas
junto a la chimenea
bien harta de tizones que crepitan.
Y me pongo a pensar: ¡Oh, si estuviese
ella, la de mis ansias infinitas,
la de mis sueños locos,
y mis azules noches pensativas!
¿Cómo? Mirad:
De la apacible estancia
en la extensión tranquila
vertería la lámpara reflejos
de luces opalinas.

Dentro, el amor que abrasa;
fuera, la noche fría,
el golpe de la lluvia en los cristales,
y el vendedor que grita
su monótona y triste melopea
a las glaciales brisas.
Dentro, la ronda de mis mil delirios,
las canciones de notas cristalinas,
unas manos que toquen mis cabellos,
un aliento que roce mis mejillas,
un perfume de amor, mil conmociones,
mil ardientes caricias;
ella y yo: los dos juntos, los dos solos;
la amada y el amado, ¡oh Poesía!

los besos de sus labios,
la música triunfante de mis rimas
y en la negra y cercana chimenea
el tuero brillador que estalla en chispas.

¡Oh! ¡bien haya el brasero
lleno de pedrería!
Topacios y carbunclos,
rubíes y amatistas
en la ancha copa etrusca
repleta de ceniza.
Los lechos abrigados,
las almohadas mullidas,
las pieles de Astrakán, los besos cálidos
que dan las bocas húmedas y tibias.
¡Oh, viejo invierno, salve!
puesto que traes con las nieves frígidas
el amor embriagante
y el vino del placer en tu mochila.

Sí, estaría a mi lado,
dándome sus sonrisas,
ella, la que hace falta a mis estrofas,
esa que mi cerebro se imagina;
la que, si estoy en sueños,
se acerca y me visita;
ella que, hermosa, tiene
una carne ideal, grandes pupilas,
algo del mármol, blanca luz de estrella;
nerviosa, sentitiva,
muestra el cuello gentil y delicado
de las Hebes antiguas;
bellos gestos de diosa,
tersos brazos de ninfa,
lustrosa cabellera
en la nuca encrespada y recogida,
y ojeras que denuncian

ansias profundas y pasiones vivas.
¡Ah, por verla encarnada,
por gozar sus caricias,
por sentir en mis labios
los besos de su amor, diera la vida!
Entre tanto, hace frío.
Yo contemplo las llamas que se agitan,
cantando alegres con sus lenguas de oro,
móviles, caprichosas e intranquilas,
en la negra y cercana chimenea
do el tuero brillador estalla en chispas.

Luego pienso en el coro
de las alegres liras.
En la copa labrada el vino negro:
la copa hirviente cuyos bordes brillan
con iris temblorosos y cambiantes
como un collar de prismas;
el vino negro que la carne enciende
y pone el corazón con alegría,
y hace escribir a los poetas locos
sonetos áureos y flamantes silvas.
El Invierno es beodo.
Cuando soplan sus brisas,
brotan las viejas cubas
la sangre de las viñas.
Sí, yo pintara su cabeza cana
con corona de pámpanos guarnida.
El invierno es galeoto,
porque en las noches frías
Paolo besa a Francesca
en la boca encendida,
mientras su sangre como fuego corre
y el corazón ardiendo le palpita.
¡Oh, crudo Invierno, salve!
puesto que traes con las nieves frígidas

el amor embriagante
y el vino de placer en tu mochila.

Ardor adolescente,
miradas y caricias:
¡cómo estaría trémula en mis brazos
la dulce amada mía
dándome con sus ojos luz sagrada,
con su aroma de flor, savia divina!
En la alcoba la lámpara
derramando sus luces opalinas;
oyéndose tan sólo
suspiros, ecos, risas;
el ruido de los besos;
la música triunfante de mis rimas
y en la negra y cercana chimenea
el tuero brillador que estalla en chispas.
Dentro, el amor que abrasa;
fuera, la noche fría.

J. J. PALMA

Ya de un corintio templo cincela una metopa,
ya de un morisco alcázar el capitel sutil,
ya, como Benvenuto, del oro de una copa
forma un joyel artístico, prodigio del buril.

Pinta las dulces Gracias, o la desnuda Europa,
en el pulido borde de un vaso de marfil,
o a Diana, diosa virgen de desceñida ropa,
con aire cinegético, o en grupo pastoril.

La musa que al poeta sus cánticos inspira
no lleva la vibrante trompeta de metal,
ni es la bacante loca que canta y que delira,

en el amor fogosa, y en el placer triunfal:
ella al cantor ofrece la septicorde lira,
o, rítmica y sonora, la flauta de cristal.

DE INVIERNO

En invernales horas, mirad a Carolina.
Medio apelotonada, descansa en el sillón,
envuelta con su abrigo de marta cibelina
y no lejos del fuego que brilla en el salón.

El fino angora blanco junto a ella se reclina,
rozando con su hocico la falda de Alencon,
no lejos de las jarras de porcelana china
que medio oculta un biombo de seda del Japón.

Con sus sutiles filtros la invade un dulce sueño:
entro, sin hacer ruido; dejo mi abrigo gris;
voy a besar su rostro, rosado y halagüeño

como una rosa roja que fuera flor de lis.
Abre los ojos, mírame con su mirar risueño,
y en tanto cae la nieve del cielo de París.

A UNA NOVIA

Alma blanca, más blanca que el lirio;
frente blanca, más blanca que el cirio
que ilumina el altar del Señor:
Ya serás por hermosa encendida,
ya serás sonrosada y herida,
por el rayo de luz del amor.

Labios rojos de sangre divina,
labios donde la risa argentina
junta el albo marfil al clavel,
¡ya veréis como el beso os provoca,
cuando Cipris envíe a esa boca
sus abejas sedientas de miel!

Manos blancas, cual rosas benditas,
que sabéis deshojar margaritas
junto al fresco rosal del pensil,
¡ya daréis la canción del amado
cuando hiráis el sonoro teclado
del triunfal clavicordio de Abril!

Ojos bellos de ojeras cercados,
¡ya veréis los palacios dorados
de una vaga, ideal Estambul,
cuando lleven las hadas a Oriente
a la Bella del Bosque Durmiente,
en el carro del Príncipe Azul!

¡Blanca flor! De tu cáliz risueño
la libélula errante del sueño
alza el vuelo veloz, ¡blanca flor!
Primavera su palio levanta
y hay un coro de alondras que canta
la canción matinal del amor.

ELOGIO DE LA SEGUIDILLA

Metro mágico y rico que al alma expresas
llameantes alegrías, penas arcanas,
desde en los suaves labios de las princesas
hasta en las bocas rojas de las gitanas.

Las almas armoniosas buscan tu encanto,
sonora rosa métrica que ardes y brillas,
y España ve en tu ritmo, siente en tu canto,
sus hembras, sus claveles, sus manzanillas.

Vibras al aire alegre como una cinta,
el músico te adula, te ama el poeta;
Rueda en ti sus fogosos paisajes pinta
con la audaz policromia de su paleta.

En ti el hábil orfebre cincela el marco
en que la idea perla su oriente acusa,
y en tu cordaje armónico formas el arco
con que lanza sus flechas la airada musa.

A tu voz en el baile crujen las faldas,
los piecesitos hacer brotar las rosas,
e hilan hebras de amores las Esmeraldas
en ruecas invisibles y misteriosas.

La andaluza hechicera, paloma arisca,
por ti irradia, se agita, vibra y se quiebra,
con el lánguido gesto de la odalisca
o las fascinaciones de la culebra.

Pequeña ánfora lírica de vino llena
compuesto por la dulce musa Alegría
con uvas andaluzas, sal macarena,
flor y canela frescas de Andalucía.

Subes, creces y vistes de pompas fieras;
retumbas en el ruido de las metrallas,
ondulas con el ala de las banderas,
suenas con los clarines de las batallas.

Tienes toda la lira; tienes las manos
que acompasan las danzas y las canciones;
tus órganos, tus prosas, tus cantos llanos
y tus llantos que parten los corazones.

Ramillete de dulces trinos verbales,
jabalina de Diana la Cazadora,
ritmo que tiene el filo de cien puñales,
que muerde y acaricia, mata y enflora.

Las Tirsis campesinas de ti están llenas,
y aman, radiosa abeja, tus bordoneos;

así riegan tus chispas las nochesbuenas
como adornas la lira de los Orfeos.

Que bajo el sol dorado de Manzanilla
que esta azulada concha del cielo baña,
polítona y triunfante, la seguidilla
es la flor del sonoro Pindo de España.

MARCHA TRIUNFAL

¡Ya viene el cortejo!
¡Ya viene el cortejo! Ya se oyen los claros clarines.
La espada se anuncia con vivo reflejo;
ya viene, oro y hierro, el cortejo de los paladines.

Ya pasa, debajo los arcos ornados de blancas Minervas
(y Martes,
los arcos triunfales en donde las Famas erigen sus largas
(trompetas,
la gloria solemne de los estandartes
llevados por manos robustas de heroicos atletas.
Se escucha el ruido que forman las armas de los caballeros,
los frenos que mascan los fuertes caballos de guerra,
los cascos que hieren la tierra,
y los timbaleros
que el paso acompasan con ritmos marciales.
¡Tal pasan los fieros guerreros
debajo los arcos triunfales!

Los claros clarines de pronto levantan sus sones,
su canto sonoro,
su cálido coro,
que envuelve en un trueno de oro
la augusta soberbia de los pabellones.
El dice la lucha, la herida venganza,
las ásperas crines,

los rudos penachos, la pica, la lanza,
la sangre que riega de heroicos carmines
la tierra;
los negros mastines
que azuza la muerte, que rige la guerra.

Los aúreos sonidos
anuncian el advenimiento
triunfal de la Gloria;
dejando el pichacho que guarda sus nidos,
tendiendo sus alas enormes al viento,
los cóndores llegan. ¡Llegó la victoria!

Ya pasa el cortejo.
Señala el abuelo los héroes al niño.
Ved cómo la barba del viejo
los bucles de oro circunda de armiño.
Las bellas mujeres aprestan coronas de flores,
y bajo los pórticos vense sus rostros de rosa;
y la más hermosa
sonríe al más fiero de los vencedores.
¡Honor al que trae cautiva la extraña bandera!
¡Honor al herido y honor a los fieles
soldados que muerte encontraron por mano extranjera!
¡Clarines! ¡Laureles!

Las nobles espadas de tiempos gloriosos
desde sus panoplias saludan las nuevas coronas y lauros
—las viejas espadas de los granaderos más fuertes que osos,
hermanos de aquellos lanceros que fueron centauros—.
Las trompas guerreras resuenan;
de voces los aires se llenan...
—A aquellas antiguas espadas,
a aquellos ilustres aceros,
que encarnan las glorias pasadas...
¡Y al sol que hoy alumbra las nuevas victorias ganadas,
y al héroe que guía su grupo de jóvenes fieros;

al que ama la insignia del suelo paterno;
al que ha desafiado, ceñido el acero y el arma en la mano,
los soles del rojo verano,
las nieves y vientos del gélido invierno,
la noche y la escarcha
y el odio y la muerte, por ser por la patria inmortal,
saludan con voces de bronce las trompas de guerra que tocan
(la marcha
triunfal! ...

ERA UN AIRE SUAVE...

Era un aire suave, de pausados giros;
el hada Harmonía ritmaba sus vuelos,
e iban frases vagas y tenues suspiros
entre los sollozos de los violoncelos.

Sobre la terraza, junto a los ramajes,
diríase un trémolo de liras eolias
cuando acariciaban los sedosos trajes
sobre el tallo erguidas las blancas magnolias.

La marquesa Eulalia risas y desvíos
daba a un tiempo mismo para dos rivales:
el vizconde rubio de los desafíos
y el abate joven de los madrigales.

Cerca, coronado con hojas de viña,
reía en su máscara Término barbudo,
y como un efebo que fuese una niña,
mostraba una Diana su mármol desnudo.

Y bajo un boscaje del amor palestra,
sobre rico zócalo al modo de Jonia,
con un candelabro prendido en la diestra
volaba el Mercurio de Juan de Bolonia.

La orquesta perlaba sus mágicas notas,
un coro de sones alados se oía;
galantes pavanas, fugaces gavotas
cantaban los dulces violines de Hungría.

Al oír las quejas de sus caballeros
ríe, ríe, ríe la divina Eulalia,
pues son su tesoro las flechas de Eros,
el cinto de Cipria, la rueca de Onfalia.

¡Ay de quien sus mieles y frases recoja!
¡Ay de quien del canto de su amor se fíe!
Con sus ojos lindos y su boca roja,
la divina Eulalia ríe, ríe, ríe.

Tiene azules ojos, es maligna y bella;
cuando mira vierte viva luz extraña:
se asoma a sus húmedas pupilas de estrella
el alma del rubio cristal del champaña.

Es noche de fiesta, y el baile de trajes
ostenta su gloria de triunfos mundanos.
La divina Eulalia, vestida de encajes,
una flor destroza con sus tersas manos.

El teclado armónico de su risa fina
a la alegre música de un pájaro iguala,
con los *staccati* de una bailarina
y las locas fugas de una colegiala.

¡Amoroso pájaro que trinos exhala
bajo el ala a veces ocultando el pico,
que desdenes rudos lanza bajo el ala,
bajo el ala aleve del leve abanico!

Cuando a medianoche sus notas arranque
y en arpegios áureos gima Filomela,

y el ebúrneo cisne, sobre el quieto estanque
como blanca góndola imprima su estela,

la marquesa alegre llegará al boscaje,
boscaje que cubre la amable glorieta,
donde han de estrecharla los brazos de un paje,
que siendo su paje será su poeta.

Al compás de un canto de artista de Italia
que en la brisa errante la orquesta deslíe,
junto a los rivales la divina Eulalia,
la divina Eulalia ríe, ríe, ríe.

¿Fue acaso en el tiempo del rey Luis de Francia,
sol con corte de astros, en campo de azur?
¿Cuando los alcázares llenó de fragancia
la regia y pomposa rosa Pompadour?

¿Fue cuando la bella su falda cogía
con dedos de ninfa, bailando el minué,
y de los compases el ritmo seguía
sobre el tacón rojo, lindo y breve el pie?

¿O cuando pastoras de floridos valles
ornaban con cintas sus albos corderos,
y oían, divinas Tirsis de Versalles,
las declaraciones de sus caballeros?

¿Fue en ese buen tiempo de duques pastores,
de amantes princesas y tiernos galanes,
cuando entre sonrisas y perlas y flores
iban las casacas de los chambelanes?

¿Fue acaso en el Norte o en el Mediodía?
Yo el tiempo y el día y el país ignoro,
pero sé que Eulalia ríe todavía,
¡y es cruel y eterna su risa de oro!

SONATINA

La princesa está triste . . . ¿Qué tendrá la princesa?
Los suspiros se escapan de su boca de fresa
que ha perdido la risa, que ha perdido el color.
La princesa está pálida en su silla de oro,
está mudo el teclado de su clave sonoro,
y en un vaso olvidada se desmaya una flor.

El jardín puebla el triunfo de los pavos reales;
parlanchina, la dueña dice cosas banales,
y vestido de rojo piruetea el bufón.
La princesa no ríe, la princesa no siente;
la princesa persigue por el cielo de Oriente
la libélula vaga de una vaga ilusión.

¿Piensa acaso en el príncipe de Golconda o de China,
en el que ha detenido su carroza argentina
para ver de sus ojos la dulzura de luz?
¿O en el rey de las islas de las rosas fragantes,
o en el que es soberano de los claros diamantes,
o en el dueño orgulloso de las perlas de Ormuz?

¡Ay! la pobre princesa de la boca de rosa
quiere ser golondrina, quiere ser mariposa,
tener alas ligeras, bajo el cielo volar,
ir al sol por la escala luminosa de un rayo,
saludar a los lirios con los versos de Mayo,
o perderse en el viento sobre el trueno del mar.

Ya no quiere el palacio, ni la rueca de plata,
ni el halcón encantado, ni el bufón escarlata,
ni los cisnes unánimes en el lago de azur.
Y están tristes las flores por la flor de la corte;
los jazmines de Oriente, los nelumbos del Norte,
de Occidente las dalias y las rosas del Sur.

¡Pobrecita princesa de los ojos azules!
Está presa en sus oros, está presa en sus tules,
en la jaula de mármol del palacio real;
el palacio soberbio que vigilan los guardas,
que custodian cien negros con sus cien alabardas,
un lebrel que no duerme y un dragón colosal.

¡Oh, quién fuera hipsipila que dejó la crisálida!
(La princesa está triste. La princesa está pálida)
¡Oh visión adorada de oro, rosa y marfil!
¡Quién volara a la tierra donde un príncipe existe
(La princesa está pálida. La princesa está triste)
más brillante que el alba, más hermoso que Abril!

Calla, calla, princesa —dice el hada madrina—
en caballo con alas hacia acá se encamina,
en el cinto la espada y en la mano el azor,
el feliz caballero que te adora sin verte,
y que llega de lejos, vencedor de la Muerte,
a encenderte los labios con su beso de amor.

A MARGARITA DEBAYLE

Margarita, está linda la mar,
y el viento
lleva esencia sutil de azahar;
yo siento
en el alma una alomdra cantar:
tu acento.
Margarita, te voy a contar
un cuento.

Este era un rey que tenía
un palacio de diamantes,
una tienda hecha del día
y un rebaño de elefantes,
un quiosco de malaquita,

un gran manto de tisú,
y una gentil princesita,
tan bonita,
Margarita,
tan bonita como tú.

Una tarde la princesa
vio una estrella aparecer;
la princesa era traviesa
y la quiso ir a coger.

La quería para hacerla
decorar un prendedor,
con un verso y una perla,
una pluma y una flor.

Las princesas primorosas
se parecen mucho a ti.
Cortan lirios, cortan rosas,
cortan astros. Son así.

Pues se fue la niña bella,
bajo el cielo y sobre el mar,
a cortar la blanca estrella
que la hacía suspirar.

Y siguió camino arriba,
por la luna y más allá;
mas lo malo es que ella iba
sin permiso del papá.

Cuando estuvo ya de vuelta
de los parques del Señor,
se miraba toda envuelta
en un dulce resplandor.

Y el rey dijo: —¿Qué te has hecho?
Te he buscado y no te hallé;
y, ¿qué tienes en el pecho
que encendido se te ve?

La princesa no mentía,
y así dijo la verdad:
—Fui a cortar la estrella mía
a la azul inmensidad.

Y el rey clama: —¿No te he dicho
que el azul no hay que tocar?
¡Qué locura! ¡Qué capricho!
El Señor se va a enojar.

Y dice ella: —No hubo intento;
yo me fui no sé por qué.
Por las olas y en el viento
fui a la estrella y la corté.

Y el papá dice, enojado:
—Un castigo has de tener:
vuelve al cielo, y lo robado
vas ahora a devolver.

La princesa se entristece
por su dulce flor de luz,
cuando entonces aparece
sonriendo el buen Jesús.

Y así dice: —En mis campiñas
esa rosa le ofrecí;
son mis flores de las niñas
que al soñar piensan en mí.

Viste el rey pompas brillantes,
y luego hace desfilar

cuatrocientos elefantes
a la orilla de la mar.

La princesita está bella,
pues ya tiene el prendedor
en que lucen con la estrella
verso, perla, pluma y flor.

Margarita, está linda la mar,
y el viento
lleva esencia sutil de azahar:
tu aliento.
Ya que lejos de mí vas a estar,
guarda, niña, un gentil pensamiento
para quien un día te quiso contar
un cuento.

ODITAS

Estrella, ¿te has ido al cielo?
Paloma, ¿te vas de vuelo?
¿Dónde estás?
Ha tiempo que no te miro.
¿Te fuiste como un suspiro
y para siempre jamás?

Vivaracha muchachita
¿es que Puck te ha dado cita
en recóndito jardín?
¿Es que partes al llamado
de algún tierno enamorado
serafín?

Primorosa musa mía,
mensajera de alegría,
dulce flor;

¿por qué ocultas el semblante
a los ojos de tu amante
soñador?

¿Es que tienes un palacio
de diamante, de topacio,
en un mágico país?
¿Es que algún genio te manda
a Bagdad, a Samarkanda
o a París?

¿O en el carro de algún mago,
o en un cisne, sobre un lago,
como un ramo de jazmín,
vas brindando tu delicia,
mentras suave te acaricia
un amado Lohengrín?

Deliciosa chiquitina,
que en tu risa cristalina
das la gama del amor;
mariposa pintoresca,
siempre viva, siempre fresca,
de perfume embriagador.

Yo sabía
que por ti la luz del día
recelosa estaba y fiera;
que por ti sufre y se irrita
la envidiosa señorita
Primavera.

Pero, ¿dónde estás, mi vida?
Si en un bosque estás perdida,
o en un negro torreón,
donde el vivo amor te prende
de algún genio, de algún duende
de la corte de Oberón;

si un osado caballero,
como a un ángel prisionero,
te llevó,
mi Zoraida, mi Fatima,
quien te busque y te redima
seré yo.

Pero mándame un mensaje
con tu enano, con tu paje,
con el viento, con el sol,
o, aromado con tu aroma,
que lo traiga una paloma
tornasol.

¿Vuelves? ¿Vienes? Estoy triste.
Más crüel dolor no existe
que el no verte nunca más.
Dime, perla, margarita,
primorosa muchachita,
¿dónde estás?

BLASON

A la Condesa de Peralta

El olímpico cisne de nieve
con el ágata rosa del pico
lustra el ala eucarística y breve
que abre al sol como un casto abanico.

De la forma de un brazo de lira
y del ansa de una ánfora griega
es su cándido cuello, que inspira
como prora ideal que navega.

Es el cisne, de estirpe sagrada,
cuyo beso, por campos de seda,
ascendió hasta la cima rosada
de las dulces colinas de Leda.

Blanco rey de la fuente Castalia,
su victoria ilumina el Danubio;
Vinci fue su varón en Italia;
Lohengrin es su príncipe rubio.

Su blancura es hermana del lino,
del botón de los blancos rosales
y del albo toisón diamantino
de los tiernos corderos pascuales.

Rimador de ideal florilegio,
es de armiño su lírico manto,
y es el mágico pájaro regio
que al morir rima el alma en un canto.

El alado aristócrata muestra
lises albos en campos de azur,
y ha sentido en sus plumas la diestra
de la amable y gentil Pompadour.

Boga y boga en el lago sonoro
donde el sueño a los tristes espera,
donde aguarda una góndola de oro
a la novia de Luis de Baviera.

Dad, Condesa, a los cisnes cariño;
dioses son de un país halagüeño,
y hechos son de perfume, de armiño,
de luz alba, de seda y de sueño.

ROSAS PROFANAS

Sobre el diván dejé la mandolina.
Y fui a besar la boca purpurina,
la boca de mi hermosa florentina.

Y es ella dulce, y roza y muerde y besa;
y es una boca roja, rosa, fresa;
y Amor no ha visto boca como esa.

Sangre, rubí, coral, carmín, claveles,
hay en sus labios finos y crueles,
pimientas fuertes, aromadas mieles.

Los dientes blancos riman como versos,
y saben esos finos dientes tersos,
mordiscos caprichosos y perversos.

Dulce serpiente suave y larga poma,
fruta viva y flexible, seda, aroma,
entre rosa y blancor la lengua asoma.

La florentina es sabia, y ella dice
que en ella están Elena y Cloe y Nice
y Safo y Clori y Galatea y Bice.

Su risa es risa de una lira loca:
en el teclado de sus dientes toca
amor la sinfonía de su boca.

Y ese cáliz hallé de mieles lleno,
y él el placer y el mal puso en mi seno,
y en él bebí la sangre y el veneno.

MARGARITA

In memoriam . . .

¿Recuerdas que querías ser una Margarita
Gautier? Fijo en mi mente tu extraño rostro está,
cuando cenamos juntos, en la primera cita,
en una noche alegre que nunca volverá.

Tus labios escarlata de púrpura maldita
sorbían el champaña del fino baccarat;
tus dedos deshojaban la blanca margarita:
"Sí..., no..., sí..., no...", ¡y sabías que te adoraba ya!

Después, ¡oh flor de histeria!, llorabas y reías;
tus besos y tus lágrimas tuve en mi boca yo;
tus risas, tus fragancias, tus quejas eran mías.

Y en una tarde triste de los más dulces días,
la Muerte, la celosa, por ver si me querías,
¡como a una margarita de amor te deshojó!

VERSOS DE AÑO NUEVO

Puck se despierta y se encanta
y se retuerce de risa,
porque el alba se levanta
en camisa...

y muestra al salir del lecho,
descuidada y perezosa,
en la pierna y en el pecho,
nieve y rosa.

Como un mirlo lechugino
mira a Puck que se divierte;
le reprende de esta suerte:
—¡Libertino!

Puck no chista; disimula,
y se lanza a la pradera
cual si fuera una ligera
libelula.

Como duende alegre y rico,
los regalos de Año Nuevo
va a buscar Robín, buen chico.
Del renuevo

de un rosal donde se posa
va a una rama verde y fresca,
donde está una mariposa
pintoresca;

o a los ámbares y granas
de las rosas soñolientas;
se detiene en las gencianas
y en las mentas;

y estremece, cuando vuela,
los retoños de una caña,
o da un salto por la tela
de una araña;

o en la copa de un clavel
se mece y hace en seguida
de una hoja recién nacida
su escabel.

Y después el duende vuela
con sus alas sonrosadas
a vaciar donde las hadas
su escarcela.

Compra un collar de coral,
que sobre una hortensia brilla,
y compra una gargantilla
de cristal,

que cuenta a cuenta se enreda
al borde de una hoja fina;

y compra a un gusano seda
de la China.

Adquiere de un moscardón
un ala limpia y hermosa,
flabel que dará a la esposa
de Oberón.

Para tapiz compra el buche
de un ligero colibrí,
y a una granada un estuche
de rubí;

a un rosal una guirnalda
que aromó la primavera;
a una juncia una pulsera
de esmeralda.

De una paloma pretende
los zapaticos Luis-Quince;
pero la paloma es lince:
no los vende.

Una azucena gentil
le ofrece un áureo alfiler
y una abeja un *necessaire*
de marfil.

Y entre amapolas sangrientas
y entre pájaros vibrantes,
Puck va con joyas y cuentas
de diamantes,

de tal modo y con tal bulla,
que de un árbol de limón
le lanza, al paso, una pulla,
un gorrión.

Fue de vuelo Puck. De pronto
a Colombina encontró,
y junto a ella, hecha un tonto,
a Pierrot.

Colombina sonreía,
y la cara de Pierrot
decía tristeza, no
picardía.

Dice a Puck: —¡Merezco un palo!
¡Al nido de ella no llevo,
la mañana de Año Nuevo,
ni un regalo!

Perlas le dará Arlequín,
oropeles Pantalón,
y le dará una canción
Querubín.

(Cerca están unas violetas
que oyen a los tarambanas...
¡Cómo se ríen con ganas
las coquetas!)

Puck dice: —Ten tú presente:
¡en amores paso a paso!
Y no hay que hacer mucho caso
de la gente.

Si perlas le da Arlequín,
hoy tú, cuando nace el día,
repítele "¡linda!" sin
cortesía.

Si oropeles Pantalón,
lánzale tú tu mirada

que lleve encendida, alada,
tu pasión.

Y si Querubín travieso
le canta dulces amores,
tú llévala entre las flores,
dale un beso.

Vuela Puck. Mil besos hay
en las brisas indiscretas.
Y se quejan las violetas
estrujadas: —¡Ay, ay, ay!...

PEQUEÑO POEMA DE CARNAVAL

A Madame Leopoldo Lugones

Ha mucho que Leopoldo
me juzga bajo un toldo
de penas, al rescoldo
de la última ilusión.
O bien cual hombre adusto
que agriado de disgusto
no hincha el cuello robusto
lanzando una canción.

Juzga este ser titánico,
con buen humor tiránico,
que estoy lleno de pánico,
desengaño o esplín,
porque ha tiempo no mana
ni una rima galana
ni una prosa profana
de mi viejo violín.

Y por tales cuidados
me vino con recados,
lindamente acordados,
que dice que le dio

primavera, la niña
de florida basquiña
a quien por la campiña
harto perseguí yo.

No hay tal, señora mía.
Y aquí vengo este día,
lleno de poesía,
pues llega el Carnaval,
a hacer sonar, en grata
hora, lira de plata,
flauta que olvidos mata
y sistro de cristal.

Pues en París estamos,
parisienses hagamos
los más soberbios ramos
de flores de París,
y llenen esta estancia
de gloria y de fragancia
bellas rosas de Francia
y la hortensia y la lis.

¡Viva la ciudad santa
—de diabla que es— que encanta
con tanta gracia y tanta
furia de porvenir;
que es la única en el mundo
donde en sueños me hundo
con lo dulce y profundo
del gozo de vivir!

Viva, con sus coronas
de laurel, sus sorbonas,
y sus lindas personas
pérfidas como el mar;
vivan el "gamin" listo

y el gallo nunca visto
y el gorrión familiar.

Yo he visto a Venus bella,
en el pecho una estrella,
y a Mammón ir tras ella
que con ligero pie
perseguía anhelante,
parándose delante
del fuego del diamante
de la rue de la Paix.

Creí, tras los macizos
de un jardín, los carrizos
oír, llenos de hechizos,
de la flauta de Pan.
Reía Primavera
de la canción ligera
y el griego dios no era:
era el pobre Lelián.

Y ahora, cuando empache
la fiesta, y el apache
su mensaje despache
a la Alegría vil,
dará púrpura a Momo,
en un divino asomo,
escapada de un tomo,
la sombra de Banville.

Las musas y las gracias
vuelven de las acacias
con sus aristocracias
doradas por el luis;
y el avaro de Plauto,
o Moliére, irá incauto
tras las huellas del auto
al café de París.

Pero todo, señora,
lo consagra y decora,
lo suaviza y lo dora
la mágica ciudad
hecha de amor, de historia,
de placer y de gloria,
de hechizo y de victoria,
de triunfo y claridad.

¡Vivan los Carnavales
parisienses! Los males
huyen a los cristales
de la viuda Clicquot.
¡Y pues que Primavera
quería un canto, fuera
la armoniosa quimera
que llevo dentro yo!

Y de nuevo las rosas
y las profanas prosas
vayan a las hermosas,
al aire, al cielo, al sol:
vaya el verso con alas
y la estrofa con galas
y suenen cosas galas
con el modo español.

Así verá Lugones
cómo las ilusiones
reviven a los sones
del canto fraternal,
y brota el tallo tierno
en otoño o invierno,
¡pues Apolo es eterno
y el arte es inmortal!

Que mire nuestro Orfeo
cumplido su deseo
y que no encuentre un reo
de silencios en mí,
y para mi acomodo
no empiece agudo modo,
pues, "a pesar de todo",
nuestro Hugo no era así.

¡Viva Gallia Regina!
Aquí nos ilumina
un sol que no declina;
Eros brinda su flor,
Palas nos da la mano
mientras va soberano,
rigiendo su aeroplano,
Icaro vencedor.

¡Ah, señora!, yo expreso
mi gratitud, mi exceso
de gratitud, y beso
tanto ilustre laurel.
Celebro aulas sagradas,
artes, modas lanzadas,
y las damas pintadas
y los *maitres d'hotel.*

Y puesta la careta
ha cantado el poeta
con cierta voz discreta
que propia suya es;
y reencontró su aurora,
sin viña protectora
o caricia traidora
de brevaje escocés.

Sepa la Primavera
que mi alma es compañera
del sol que ella venera
y del supremo Pan.
Y que si Apolo ardiente
le llama, de repente,
contestará: ¡Presente,
mi capitán!

DIVAGACION

¿Vienes? Me llega aquí, pues que suspiras,
un soplo de las mágicas fragancias
que hicieron los delirios de las liras
en las Grecias, las Romas y las Francias.

¡Suspira así! Revuelen las abejas,
al olor de la olímpica ambrosía,
en los perfumes que en el aire dejas;
y el dios de piedra se despierte y ría.

Y el dios de piedra se despierte y cante
la gloria de los tirsos florecientes
en el gesto ritual de la bacante
de rojos labios y nevados dientes.

En el gesto ritual que en las hermosas
Ninfalias guía a la divina hoguera,
hoguera que hace llamear las rosas
en las manchadas pieles de pantera.

Y pues amas reír, ríe, y la brisa
lleve el son de los líricos cristales
de tu reír, y haga temblar la risa
la barba de los Términos joviales.

Mira hacia el lado del boscaje, mira
blanquear el muslo de marfil de Diana,
y después de la Virgen, la Hetaíra
diosa, blanca, rosa y rubia hermana

pasa en busca de Adonis; sus aromas
deleitan a las rosas y los nardos;
síguela una pareja de palomas,
y hay tras ella una fuga de leopardos.

¿Te gusta amar en griego? Yo las fiestas
galantes busco, en donde se recuerde,
al suave son de rítmicas orquestas,
la tierra de la luz y el mirto verde.

(Los abates refieren aventuras
a las rubias marquesas. Soñolientos
filósofos defienden las ternuras
del amor con sutiles argumentos,

mientras que surge de la verde grama,
en la mano el acanto de Corinto,
una ninfa a quien puso un epigrama
Beaumarchais sobre el mármol de su plinto.

Amo más que la Grecia de los griegos
la Grecia de la Francia, porque en Francia,
al eco de las Risas y los Juegos,
su más dulce licor Venus escancia.

Demuestran más encantos y perfidias,
coronadas de flores y desnudas,
las diosas de Clodión que las de Fidias;
unas cantan francés, otras son mudas.

Verlaine es más que Sócrates; y Arsenio
Houssaye supera al viejo Anacreonte.
En París reinan el Amor y el Genio.
Ha perdido su imperio el dios bifronte.

Monsieur Prudhomme y Homais no saben nada.
Hay Chipres, Pafos, Tempes y Amatuntes,
donde al amor de mi madrina, un hada,
tus frescos labios a los míos juntes.)

Sones de bandolín. El rojo vino
conduce un paje rojo. ¿Amas los sones
del bandolín, y un amor florentino?
Serás la reina en los decamerones.

(Un coro de poetas y pintores
cuenta historias picantes. Con maligna
sonrisa alegre, aprueban los señores.
Clelia enrojece, una dueña se signa.)

¿O un amor alemán —que no han sentido
jamás los alemanes—: la celeste
Gretchen; claro de luna; el aria; el nido
del ruiseñor; y en una roca agreste,

la luz de nieve que del cielo llega
y baña a una hermosura que suspira,
la queja vaga que a la noche entrega
Loreley en la lengua de la lira.

Y sobre el agua azul, el caballero
Lohengrín; y su cisne, cual si fuese
un cincelado témpano viajero,
con su cuello enarcado en forma de ese.

Y del divino Enrique Heine un canto,
a la orilla del Rhin; y del divino

Wolfgang la larga cabellera, el manto;
y de la uva teutona, el blanco vino.

O amor lleno de sol, amor de España,
amor lleno de púrpuras y oros;
amor que da el clavel, la flor extraña
regada con la sangre de los toros;

flor de gitanas, flor que amor recela,
amor de sangre y luz, pasiones locas;
flor que trasciende a clavo y a canela,
roja cual las heridas y las bocas.

¿Los amores exóticos acaso?...
Como rosa de Oriente me fascinas:
me deleitan la seda, el oro, el raso.
Gautier adoraba a las princesas chinas.

¡Oh bello amor de mil genuflexiones:
torres de kaolín, pies imposibles,
tazas de té, tortugas y dragones,
y verdes arrozales apacibles!

Amame en chino, en el sonoro chino
de Li-Tai-Pe. Yo igualaré a los sabios
poetas que interpretan el destino;
madrigalizaré junto a tus labios.

Diré que eres más bella que la luna;
que el tesoro del cielo es menos rico
que el tesoro que vela la importuna
caricia de marfil de tu abanico.

Amame japonesa, japonesa
antigua, que no sepa de naciones
occidentales; tal una princesa
con las pupilas llenas de visiones,

que aun ignorase en la sagrada Kioto,
en su labrado camerín de plata,
ornado al par de crisantemo y loto,
la civilización de Yamagata.

O con amor hindú que alza sus llamas
en la visión suprema de los mitos
y hace temblar en misteriosas bramas
la iniciación de los sagrados ritos.

En tanto mueven tigres y panteras
sus hierros, y en los fuertes elefantes
sueñan con ideales bayaderas
los rajás, constelados de brillantes.

O negra, negra como la que canta
en su Jerusalén el rey hermoso,
negra que haga brotar bajo su planta
la rosa y la cicuta del reposo...

Amor, en fin, que todo diga y cante,
amor que encante y deje sorprendida
a la serpiente de ojos de diamante
que está enroscada al árbol de la vida.

Amame así, fatal, cosmopolita,
universal, inmensa, única, sola
y todas; misteriosa y erudita:
ámame mar y nube, espuma y ola.

Sé mi reina de Saba, mi tesoro;
descansa en mis palacios solitarios.
Duerme. Yo encenderé los incensarios.
Y junto a mi unicornio cuerno de oro,
tendrán rosas y miel tus dromedarios.

EL REINO INTERIOR

...with Psychis, my soul!
POE.

Una selva suntuosa
en el azul celeste su rudo perfil calca.
Un camino. La tierra es de color de rosa,
cual la pinta fra domenico Cavalca
en sus Vidas de santos. Se ven extrañas flores
de la flora gloriosa de los cuentos azules,
y entre las ramas encantadas, papemores
cuyo canto extasiara de amor a los bulbules.
(*Papemor*: ave rara; *Bulbules*: ruiseñores.)

Mi alma frágil se asoma a la ventana oscura
de la torre terrible en que ha treinta años sueña.
La gentil Primavera, primavera le augura.
La vida le sonríe rosada y halagüeña.
Y ella exclama: "¡Oh fragante día! ¡Oh sublime día!
Se diría que el mundo está en flor; se diría
que el corazón sagrado de la tierra se mueve
con un ritmo de dicha: luz brota, gracia llueve.
¡Yo soy la prisionera que sonríe y que canta!"
Y las manos liliales agita, como infanta
real en los balcones del palacio paterno.

¿Qué són se escucha, són lejano, vago y tierno?
Por el lado derecho del camino adelanta,
el paso leve, una adorable teoría
virginal. Siete blancas doncellas, semejantes
a siete blancas rosas de gracia y de armonía
que el alba constelara de perlas y diamantes.
¡Alabastros celestes habitados por astros:
Dios se refleja en esos dulces alabastros!
Sus vestes son tejidas del lino de la luna.
Van descalzas. Se mira que posan el pie breve
sobre el rosado suelo, como una flor de nieve.

Y los cuellos se inclinan, imperiales, en una
manera que lo excelso pregona de su origen.
Como al compás de un verso, su suave paso rigen.
Tal el divino Sandro dejara en sus figuras
esos graciosos gestos en esas líneas puras.
Como a un velado son de liras y laúdes,
divinamente blancas y castas pasan esas
siete bellas princesas. Y esas bellas princesas
son las siete Virtudes.

Al lado izquierdo del camino y paralela-
mente, siete mancebos —oro, seda, escarlata,
armas ricas de Oriente— hermosos, parecidos
a los satanes verlenianos de Ecbatana,
vienen también. Sus labios sensuales y encendidos,
de efebos criminales, son cual rosas sangrientas;
sus puñales, de piedras preciosas revestidos
—ojos de víboras de luces fascinantes—,
al cinto penden; arden las púrpuras violentas
de los jubones; ciñen las cabezas triunfantes
oro y rosa; sus ojos, ya lánguidos, ya ardientes,
son dos carbunclos mágicos de fulgor sibilino,
y en sus manos de ambiguos príncipes decadentes
relucen como gemas las uñas de oro fino.
Bellamente infernales
llenan el aire de hechiceros maleficios
esos siete mancebos. Y son los siete Vicios,
los siete poderosos pecados capitales.

Y los siete mancebos a las siete doncellas
lanzan vivas miradas de amor. Las tentaciones
de sus liras melifluas arrancan vagos sones
Las princesas prosiguen, adorables visiones
en su blancura de palomas y de estrellas.

Unos y otras se pierden por la vía de rosa,
y el alma mía queda pensativa a su paso.

"¡Oh! ¿Qué hay en ti mi pobre alma misteriosa?
¿Acaso piensas en la blanca teoría?
¿Acaso
los brillantes mancebos te atraen, mariposa?"

Ella no responde.
Pensativa se aleja de la oscura ventana
—pensativa y risueña,
de la Bella-durmiente-del-bosque tierna hermana—,
y se adormece en donde
hace treinta años sueña.

Y en sueño dice: "¡Oh dulces delicias de los cielos!
¡Oh tierra sonrosada que acarició mis ojos!
¡Princesas, envolvedme con vuestros blancos velos!
¡Príncipes, estrechadme con vuestros brazos rojos!"

YO SOY AQUEL...

Yo soy aquel que ayer no más decía
el verso azul y la canción profana,
en cuya noche un ruiseñor había
que era alondra de luz por la mañana.

El dueño fui de mi jardín de sueño,
lleno de rosas y de cisnes vagos;
el dueño de las tórtolas, el dueño
de góndolas y liras en los lagos;

y muy siglo diez y ocho y muy antiguo
y muy moderno; audaz, cosmopolita;
con Hugo fuerte y con Verlaine ambiguo,
y una sed de ilusiones infinita.

Yo supe de dolor desde mi infancia,
mi juventud... ¿fue juventud la mía?
Sus rosas aún me dejan su fragancia...
una fragancia de melancolía...

Potro sin freno se lanzó mi instinto,
mi juventud montó potro sin freno;
iba embriagada y con puñal al cinto;
si no cayó, fue porque Dios es bueno.

En mi jardín se vio una estatua bella;
se juzgó mármol y era carne viva;
una alma joven habitaba en ella,
sentimental, sensible, sensitiva,

y tímida ante el mundo, de manera
que encerrada en silencio no salía,
sino cuando en la dulce primavera
era la hora de la melodía...,

hora de ocaso y de discreto beso;
hora crepuscular y de retiro;
hora de madrigal y de embeleso,
de "te adoro", de "¡ay!" y de suspiro.

Y entonces era en la dulzaina un juego
de misteriosas gamas cristalinas,
un renovar de notas del Pan griego
y un desgranar de músicas latinas,

con aire tal y con ardor tan vivo,
que a la estatua nacían de repente
en el muslo viril patas de chivo
y dos cuernos de sátiro en la frente.

Como la Galatea gongorina
me encantó la marquesa verleniana,
y así juntaba a la pasión divina
una sensual hiperestesia humana;

todo ansia, todo ardor, sensación pura
y vigor natural, y sin falsía,

y sin comedia y sin literatura...
Si hay un alma sincera, ésa es la mía.

La torre de marfil tentó mi anhelo;
quise encerrarme dentro de mí mismo,
y tuve hambre de espacio y sed de cielo
desde las sombras de mi propio abismo.

Como la esponja que la sal satura
en el jugo del mar, fue el dulce y tierno
corazón mío, henchido de amargura
por el mundo, la carne y el infierno.

Mas, por gracia de Dios, en mi conciencia
el Bien supo elegir la mejor parte;
y si hubo áspera hiel en mi existencia,
melificó toda acritud el Arte.

Mi intelecto libré de pensar bajo,
bañó el agua castalia el alma mía,
peregrinó mi corazón y trajo
de la sagrada selva la armonía.

¡Oh, la selva sagrada! ¡Oh, la profunda
emanación del corazón divino
de la sagrada selva! ¡Oh, la fecunda
fuente cuya virtud vence al destino!

Bosque ideal que lo real complica,
allí el cuerpo arde y vive y Psiquis vuela;
mientras abajo el sátiro fornica,
ebria de azul deslíe Filomela

perla de ensueño y música amorosa
en la cúpula en flor del laurel verde,
hipsipila sutil liba en la rosa,
y la boca del fauno el pezón muerde.

Allí va el dios en celo tras la hembra,
y la caña de Pan se alza del lodo;
la eterna vida sus semillas siembra,
y brota la armonía del gran Todo.

El alma que entra allí debe ir desnuda,
temblando de deseo y fiebre santa,
sobre cardo heridor y espina aguda:
así sueña, así vibra y así canta.

Vida, luz y verdad, tal triple llama
produce la interior llama infinita.
El arte puro como Cristo exclama:
Ego sum lux et veritas et vita!

Y la vida es misterio, la luz ciega
y la verdad inaccesible asombra;
la adusta perfección jamás se entrega,
y el secreto ideal duerme en la sombra.

Por eso ser sincero es ser potente;
de desnuda que está brilla la estrella;
el agua dice el alma de la fuente
en la voz de cristal que fluye de ella.

Tal fue mi intento, hacer del alma pura
mía, una estrella, una fuente sonora,
con el horror de la literatura
y loco de crepúsculo y de aurora.

Del crepúsculo azul que da la pauta
que los celestes éxtasis inspira,
bruma y tono menor —¡toda la flauta!,
y Aurora, hija del Sol —¡toda la lira!

Pasó una piedra que lanzó una honda;
pasó una flecha que aguzó un violento.

La piedra de la honda fue a la onda,
y la flecha del odio fuése al viento.

La virtud está en ser tranquilo y fuerte;
con el fuego interior todo se abrasa;
se triunfa del rencor y de la muerte,
y hacia Belén... ¡la caravana pasa!

CANCION DE OTOÑO EN PRIMAVERA

Juventud, divino tesoro,
¡ya te vas para no volver!
Cuando quiero llorar, no lloro...,
y a veces lloro sin querer.

Plural ha sido la celeste
historia de mi corazón.
Era una dulce niña, en este
mundo de duelo y aflicción.

Miraba como el alba pura;
sonreía como un flor.
Era su cabellera oscura
hecha de noche y de dolor.

Yo era tímido como un niño.
Ella, naturalmente, fue,
para mi amor hecho de armiño,
Herodías y Salomé...

Juventud, divino tesoro,
¡ya te vas para no volver!...
Cuando quiero llorar, no lloro,
y a veces lloro, sin querer...

La otra fue más sensitiva,
y más consoladora y más

halagadora y expresiva,
cual no pensé encontrar jamás,

pues a su continua ternura
una pasión violenta unía;
en un peplo de gasa pura
una bacante se envolvía...

En sus brazos tomó mi ensueño
y lo arrulló como a un bebé...
Y lo mató, triste y pequeño,
falto de luz, falto de fe.

Juventud, divino tesoro,
¡te fuiste para no volver!
Cuando quiero llorar, no lloro,
y a veces lloro sin querer...

Otra juzgó que era mi boca
el estuche de su pasión,
y que me roería, loca
con sus dientes el corazón,

poniendo en un amor de exceso
la mira de su voluntad,
mientras eran abrazo y beso
síntesis de la eternidad;

y de nuestra carne ligera
imaginar siempre un Edén,
sin pensar que la Primavera
y la carne acaban también...

Juventud, divino tesoro,
¡ya te vas para no volver!
Cuando quiero llorar, no lloro,
¡y a veces lloro sin querer!

¡Y las demás!, en tantos climas,
en tantas tierras siempre son,
si no pretextos de mis rimas,
fantasmas de mi corazón.

En vano busqué a la princesa
que estaba triste de esperar.
La vida es dura, amarga y pesa.
¡Ya no hay princesa que cantar!

Mas a pesar del tiempo terco,
mi sed de amor no tiene fin;
con el cabello gris me acerco
a los rosales del jardín...

Juventud, divino tesoro,
¡ya te vas para no volver!
Cuando quiero llorar, no lloro,
y a veces lloro sin querer...

¡Mas es mía el alba de oro!

LA HEMBRA DEL PAVO REAL

En Ecbatana fue una vez,
o más bien creo que en Bagdad...
Era en una rara ciudad,
bien Samarcanda o quizás Fez.

La hembra del pavo real
estaba en el jardín desnuda;
mi alma amorosa estaba muda
y habló la fuente de cristal.

Habló con su trino y su alegro
y su stacatto y son sonoro,
y venían del bosque negro
voz de plata y llanto de oro.

La desnuda estaba divina,
salomónica y oriental:
era una joya diamantina
la hembra del pavo real.

Los brazos eran dos poemas
ilustrados de ricas gemas.
Y no hay un verso que concentre
el trigo y albor de palomas,
y lirios y perlas y aromas,
que había en los senos y el vientre.

Era una voluptuosidad
que sabía a almendra y a nuez
y a vinos que gustó Simbad...
En Ecbatana fue una vez,
o más bien creo que en Bagdad.

En las gemas resplandecientes
de las colas de los pavones
caían gotas de las fuentes
de los Orientes de ilusiones.

La divina estaba desnuda.
Rosa y nardo dieron su olor...
Mi alma estaba extasiada y muda
y en el sexo ardía una flor.

En las terrazas decoradas
con un gesto extraño y fatal
fue desnuda ante mis miradas
la hembra del pavo real.

A LOS POETAS RISUEÑOS

Anacreonte, padre de la sana alegría;
Ovidio, sacerdote de la ciencia amorosa;

Quevedo, en cuyo cáliz licor jovial rebosa;
Banville, insigne orfeo de la sacra Harmonía;

y con vosotros toda la grey hija del día,
a quien habla el amante corazón de la rosa,
abejas que fabrican sobre la humana prosa
en sus Himetos mágicos mieles de poesía...

Prefiero vuestra risa sonora, vuestra musa
risueña, vuestros versos perfumados de vino,
a los versos de sombra y a la canción confusa

que opone el numen bárbaro al resplandor latino;
y ante la fiera máscara de la fatal Medusa,
medrosa huye mi alondra de canto cristalino.

LEDA

El cisne en la sombra parece de nieve;
su pico es de ámbar, del alba al trasluz;
el suave crepúsculo que pasa tan breve
las cándidas alas sonrosa de luz.

Y luego, en las ondas del lago azulado,
después que la aurora perdió su arrebol,
las alas tendidas y el cuello enarcado,
el cisne es de plata, bañado de sol.

Tal es, cuando esponja las plumas de seda,
olímpico pájaro herido de amor,
y viola en las linfas sonoras a Leda,
buscando su pico los labios en flor.

Suspira la bella desnuda y vencida,
y en tanto que al aire sus quejas se van,
del fondo verdoso de fronda tupida
chispean turbados los ojos de Pan.

PROPOSITO PRIMAVERAL

A saludar me ofrezco y a celebrar me obligo
tu triunfo, Amor, al beso de la estación que llega
mientras el blanco cisne del lago azul navega
en el mágico parque de mis triunfos testigo.

Amor, tu voz de oro ha segado mi trigo;
por ti me halaga el suave son de la flauta griega,
y por ti Venus pródiga sus manzanas me entrega
y me brinda las perlas de las mieles del higo.

En el erecto término coloco una corona
en que de rosas frescas la púrpura detona;
y en tanto canta el agua bajo el boscaje oscuro,

junto a la adolescente que en el misterio inicio
apuraré alternando con su dulce ejercicio
las ánforas de oro del divino Epicuro.

METEMPSICOSIS

Yo fui un soldado que durmió en el lecho
de Cleopatra la reina. Su blancura
y su mirada astral y omnipotente.
Eso fue todo.

¡Oh, mirada! oh, blancura y ¡oh, aquel lecho
en que estaba radiante la blancura!
¡Oh, la rosa marmórea omnipotente!
Eso fue todo.

Y crujió su espinazo por mi brazo;
y yo, liberto, hice olvidar a Antonio
(oh, el lecho y la mirada y la blancura!)
Eso fue todo.

Yo, Rufo Galo, fui soldado, y sangre
tuve de Galia, y la imperial becerra
me dio un minuto audaz de su capricho.
Eso fue todo.

¿Por qué en aquel espasmo las tenazas
de mis dedos de bronce no apretaron
el cuello de la blanca reina en broma?
Eso fue todo.

Yo fui llevado a Egipto. La cadena
tuve al pescuezo. Fui comido un día
por los perros. Mi nombre, Rufo Galo.
Eso fue todo.

TRISTE, MUY TRISTEMENTE...

Un día estaba yo triste, muy tristemente
viendo cómo caía el agua de una fuente;
era la noche dulce y argentina. Lloraba
la noche. Suspiraba la noche. Sollozaba
la noche. Y el crepúsculo, en su suave amatista,
diluía la lágrima de un misterioso artista.
Y ese artista era yo, misterioso y gimiente,
que mezclaba mi alma al chorro de la fuente.

MELANCOLIA

Hermano, tú que tienes la luz, dame la mía.
Soy como un ciego. Voy sin rumbo y ando a tientas.
Voy bajo tempestades y tormentas
ciego de ensueño y loco de armonía.

Ese es mi mal. Soñar. La poesía
es la camisa férrea de mil puntas cruentas
que llevo sobre el alma. Las espinas sangrientas
dejan caer las gotas de mi melancolía.

Y así voy, ciego y loco, por este mundo amargo;
a veces me parece que el camino es muy largo,
y a veces que es muy corto...

Y en este titubeo de aliento y agonía,
cargo lleno de penas lo que apenas soporto.
¿No oyes caer las gotas de mi melancolía?

DE OTOÑO

Yo sé que hay quienes dicen: ¿Por qué no canta ahora
con aquella locura armoniosa de antaño?
Esos no ven la obra profunda de la hora,
la labor del minuto y el prodigio del año.

Yo, pobre árbol, produje, al amor de la brisa,
cuando empecé a crecer, un vago y dulce son.
Pasó ya el tiempo de la juvenil sonrisa:
¡Dejad al huracán mover mi corazón!

VERSOS DE OTOÑO

Cuando mi pensamiento va hacia ti, se perfuma;
tu mirar es tan dulce, que se torna profundo.
Bajo tus pies desnudos aún hay blancor de espuma,
y en tus labios compendias la alegría del mundo.

El amor pasajero tiene el encanto breve,
y ofrece un igual término para el gozo y la pena.
Hace una hora que un nombre grabé sobre la nieve;
hace un minuto dije mi amor sobre la arena.

Las hojas amarillas caen en la alameda,
en donde vagan tantas parejas amorosas.
Y en la copa de Otoño un vago vino queda
en que han de deshojarse, Primavera, tus rosas.

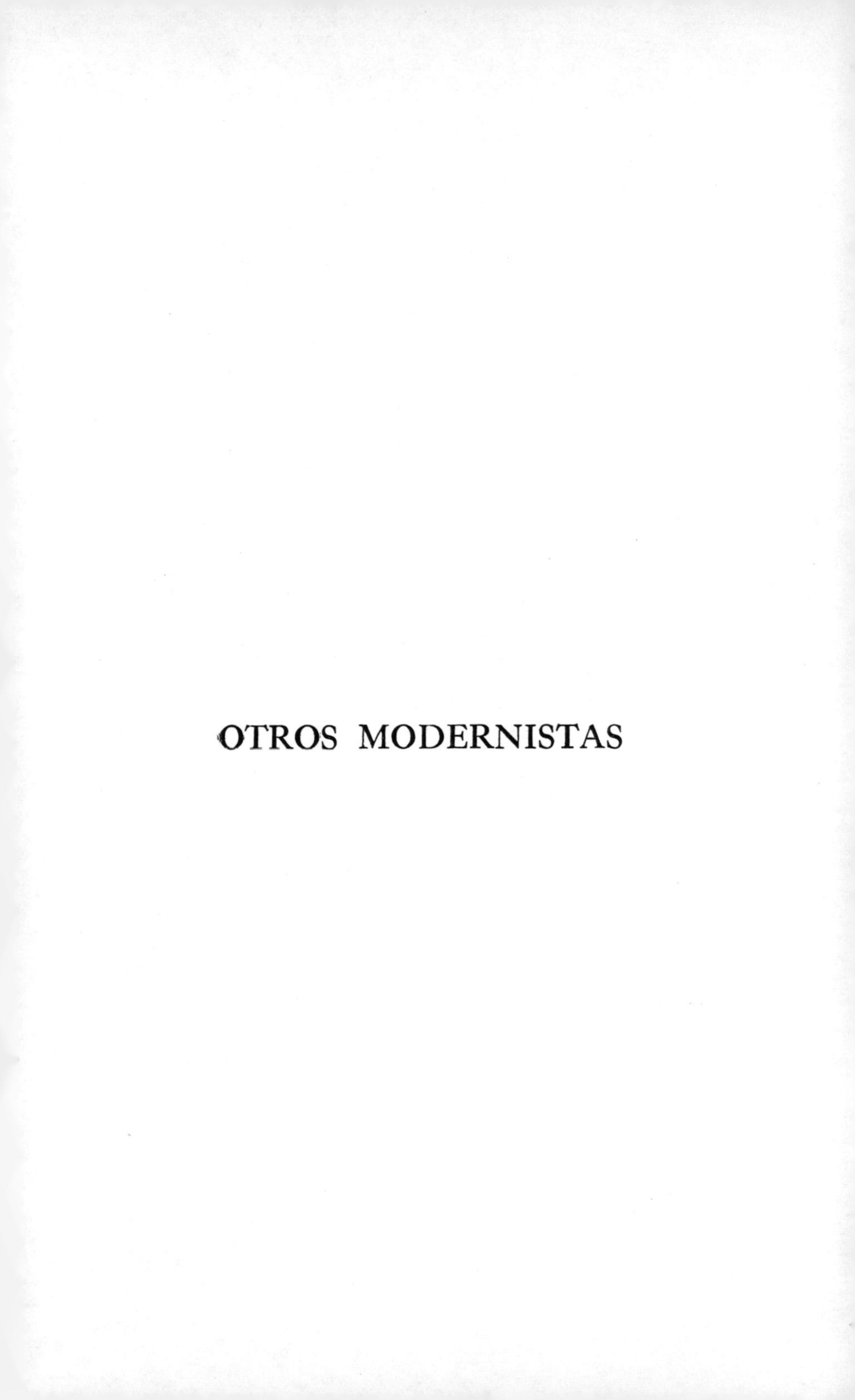

OTROS MODERNISTAS

LEOPOLDO DIAZ

1862 - 1947

República Argentina. Distraído por el servicio diplomático, de obra escasa y muy exquisita, se caracteriza por el empleo del soneto, entre los cuales produjo algunos de corte majestuoso. Fue traductor insigne, también, pero siempre de piezas breves, buscadas con sumo esmero.

SIMBOLO

A Rubén Darío.

Dijo a la blanca luna el asfodelo:
"¡Oh, reina del azur solemne y triste!
¿Qué misteriosa palidez te viste,
Ofelia vagabunda por el cielo?

Cándido cisne de color de hielo:
¿en qué profundo Flegetón caíste?
¿A qué brumoso páramo tendiste
las plumas albas con silente vuelo?"

Calló la flor . . . y doblegó en la urna
su fúnebre corola taciturna
cual simbólica imagen de lo inerte.

Mientras el astro, como esquife indiano
de vela de ámbar, se perdió en lo arcano,
con rumbo a las riberas de la Muerte.

AFRODITA

Vago rumor se extiende en las riberas
de la ondulante soledad callada,
donde en sueño prolífico la Nada
incuba la legión de sus quimeras.

Tritones, hipocampos y ligeras
náyades surcan la extensión sagrada,
y por conjuro mágico evocada
vibran su voz las sirtes plañideras.

Como en sonante caracol marino
se oye del ponto en las entrañas hondas
un misterioso acorde sibilino;

y en la caricia de sus trenzas blondas,
relampagueante el óvalo divino,
surge Afrodita de las glaucas ondas.

VERTIGO

La púrpura de ocaso enrojecía
las caladas ojivas del convento
y, como canto funeral, el viento
sobre las torres al pasar gemía.

Era un viviente mármol . . . Parecía
latir su corazón . . . Sentí su aliento,
y forjóse febril mi pensamiento
que su labio de virgen me ofrecía.

Miré en torno: quietud . . . Crucé la nave
del templo hundido en la penumbra grave,
y en un impulso de la mente loca,

por misterioso vértigo arrastrado,
acerquéme a la estatua fascinado
y con lúbrico ardor besé su boca.

LA TUMBA DE ANACREON

En la tumba del lírico cantor de los amores
el cincel inspirado grabó un bajo relieve:
una danza de ninfas coronadas de flores,
con los senos erguidos, como lotos de nieve.

Rosales florecidos mezclaban sus rumores
a la callada ronda, sutilísima y leve,
y dos sátiros, llenos de lúbricos ardores,
miraban a las ninfas de pie ligero y breve.

Y cuando, misteriosa, la noche descendía,
un genio de las selvas, con lánguida armonía,
su dulce flauta rústica iba a tocar en ella.

Y el caminante, absorto, creyendo que soñaba,
al escuchar el canto crepuscular dudaba
si era la voz de Apolo o el himno de una estrella

BACANTE

La cabeza de pámpanos ceñida,
desnuda, palpitante, voluptuosa,
ostenta su blancura luminosa
en el sagrado pórtico extendida.

Ebria de ardiente juventud, la vida
corre bajo su piel de tuberosa,
y, erecto el seno mórbido, reposa
como la estatua del placer, caída.

La rebosante crátera de vino
rueda a su flanco, un éxtasis divino
brilla en su faz, con lúbrico embeleso;

y por sus labios entreabiertos, gira,
cual el furtivo acorde de una lira,
la suspirante languidez de un beso.

FRINE

Termina el orador su arenga breve,
y rasgando la túnica armoniosa
luce la hetaira, en actitud de diosa,
el seno altivo, cincelado en nieve.

¡Deslumbradora aparición! . . . ¡El leve
cuello de cisne, en pedestal de rosa,
la cabellera de ámbar luminosa
que, al lento ritmo de las flautas, mueve!

Abandonan los jueces sus sitiales:
grito de ronca admiración levantan
del Areópago adusto en los umbrales;

y serena, avanzando entre la turba,
de la egregia Friné, las formas cantan
el soberano triunfo de la curva.

LAS VENDIMIAS

¡Ven a olvidar la vida junto a mis cepas de oro!
Los opulentos pámpanos te brindarán asilo,
embriagarán tus ojos las danzas de Bathilo
y oirás de las vendimias el capricante coro!

Tú, del placer ignoras el íntimo tesoro . . .
Mis años se deslizan en el hogar tranquilo;

sobre la blanda cera grabo con áureo estilo
estrofas palpitantes a la beldad que adoro.

La gloria es fugitiva... La juventud es breve...
Mañana, los cabellos se cubrirán de nieve,
corceles fatigados serán nuestras pasiones...

¡Mira!... La viña escala de mi jardín el muro,
las rosas nos invitan desde el rosal obscuro,
y en los racimos laten inéditas canciones.

LEJOS DE TODA POMPA...

Lejos de toda pompa, de todo ruido vano,
tallando lentamente los mármoles prosigo;
¡oh soledad, oh fuente fecunda, te bendigo
aunque la meta es ardua y el triunfo está lejano!

¡No importa! Desterrado del torbellino humano
la gran visión interna del ideal persigo;
quien niega la divina belleza es mi enemigo;
el que medita y sueña y harmoniza, mi hermano.

Todo laurel inclina la hostilidad del viento;
de insomnio y de fatiga se nutre el pensamiento;
alza en la noche su zafir lejana estrella...

Artista, el bloque duro tu genio desafía;
arranca de sus hondas entrañas poesía
y surgirá la estatua deslumbradora y bella.

PEDRO ANTONIO GONZALEZ

1863 - 1903

Chile. Podría llamársele modernista temperado por la forma de su verso, en la cual quiso innovar, y además hay influencia del Modernismo en su lenguaje, voluntariamente escogido para mantenerlo en alto, sobre el nivel corriente. Se aleja de los modernistas, en cambio, por haber puesto más de una vez su producción al servicio de las ideas políticas.

LAS PERLAS Y LAS UVAS

I

Sube en silencio el bardo
las nítidas escalas
de un esquife gallardo
cuyas velas son alas.

Va en busca de unas perlas...
a un país de Oriente,
delirando ponerlas
en una regia frente.

—En la frente divina,
y de nimbo sedeño
de una Musa argentina
del Olimpo del Sueño.—

Boga al país de plata
en donde las lagunas
de ópalo y escarlata
las cuajan como lunas.

Navega al país de oro,
de matiz de arreboles,
en donde el mar sonoro
las cuaja como soles...

II

Pero en su viaje, el bardo
aspira el sacro efluvio
del gran país del nardo
y del pámpano rubio.

Ve con febril pupila
que como allá en las lides
a torrentes destila
la sangre de las vides.

Ve a través de las cubas,
al tiempo de mecerlas,
que el iris de las uvas
eclipsa el de las perlas.

Pone fin a su viaje
al país de la aurora
delante del brevaje
que las ánforas dora.

Canta una serenata
bajo el poniente opaco.
Y alza un cáliz de plata
sobre el altar de Baco...

DELICADA

No pases junto a la fuente.
No quiero oirla gemir...
Serena, lánguidamente
deja sus ondas dormir...

Quizás su desierta linfa,
niña, te tome al pasar,
por la infiel, perdida ninfa
que siempre la oigo llorar.

ODISEA

Mar sereno. Crepúsculo en calma.
Lejanías profundas y bellas.
Aleteos de alondra en el alma.
Arreboles. Efluvios. Estrellas.

Y la barca al gran viento sonoro
desplegó los undívagos tules,
recamados de púrpura y oro,
de sus rítmicas velas azules.

Iba el bardo a la ignota comarca
donde el alba dilata su imperio;
y de pie, como un dios, en la barca,
desafiaba al inmenso misterio.

Fue después cada estrella apagando
su sagrado fulgor poco a poco;
y en la niebla bogando, bogando,
él siguió por el mar como un loco.

Y batieron las olas bravías
en la inmóvil, caótica bruma,
como airadas esfinges sombrías,
su siniestra melena de espuma.

Y la barca del bardo rodaba,
describiendo soberbias estelas,
bajo el ronco huracán que entonaba
la canción del abismo en sus velas.

Y él de pie desafiaba su ira,
arrojando del alma el desmayo:
vio su cetro de dios en la lira!
vio su nimbo de dios en el rayo!

A LA LUNA

¡Qué triste que asomas, oh luna lejana,
por entre las nubes que el bóreas esparce!
¡Parece que fueras la pálida hermana
del último sueño que vi disiparse!

Parece que fueras allá en la penumbra
que ciñe a tu disco crespones extraños,
la antorcha gemela del cirio que alumbra
la selva dantesca de mis desengaños!

Parece que fueran tus rayos marchitos
las perlas del llanto monótono y lerdo
de todos los tristes y grandes proscriptos
que llevan a cuestas la cruz del recuerdo!

Acaso tu disco, que trémulo riela,
remonta la noche llorando el estrago
del bóreas que a solas con su hálito hiela
el último cisne y el último lago!...

TRIUNFAL

I

Voy en pos de las islas de esmeralda
donde los bardos, en excelso coro,
pulsan, ceñidos de inmortal guirnalda,
arpas de plata en horizontes de oro.

Donde flotan balsámicos efluvios,
y hebras de luz las odaliscas peinan;
y los ensueños, bajo nimbos rubios,
baten las alas y los bardos reinan.

Donde los valles y los bosques bellos,
en el idilio que en el aura sube,
trémulos llaman a posarse en ellos
al arco iris y a la blanca nube.

Donde el golfo y el río y la laguna
tañen la lira de sus verdes ondas,
y cantan en sus playas a la luna
versos de lánguidas espumas blondas.

Donde núbiles vírgenes sin tules
danzan al pie de rumorosas palmas,
y en pálidos crepúsculos azules
florecen las estrellas y las almas.

Donde convidan a soñar despierto,
bajo follajes de inefable aroma,
sobre el rítmico seno descubierto,
castas Evas de cuello de paloma...

II

Y una visión azul de alas de nieve
flota ante mí bajo la parda bruma,
alzando al roce de su peplo leve
brillantes chispas de ópalo en la espuma.

Es la mística virgen de ojos bellos
que iluminó mi soledad sombría,
y ungió mis huracánicos cabellos
con efluvios de olímpica ambrosía.

La que da desde lo alto de su solio
al laurel de las selvas flores y hojas,
y al cisne de los lagos ritmo eolio,
y miel al beso de las bocas rojas.

La que danza a compás del áureo plectro
sobre alfombras de rosas y alelíes;
la que en regios alcázares de electro
lleva en la frente fúlgidos rubíes.

La de rápidos pies y hombros gallardos:
la que descuella por sus gracias todas;
la que proclaman sin rival los bardos
en dulces silvas y en ardientes odas.

La de ondulante cabellera de oro
que preside a los bardos como un astro,
y les escancia en el festín sonoro
néctar de fuego en copas de alabastro...

III

Y yo, embriagado con la hirviente copa
del licor de los éxtasis supremos,
tras la visión azul, de pie en la popa,
bato sin tregua los gallardos remos.

Y la barca triunfal resbala altiva
por entre sirtes de áspero cascajo,
bajo la estrella que florece arriba,
sobre la espuma que florece abajo.

Y en el verde cristal, como una cuna,
el céfiro columpia sus extremos;
y chispean los rayos de la luna
en las olas rasgadas por los remos.

Cantamos a compás en mi odisea,
con el mar, que del ábrego se mofa:
el mar pone la nota, y yo la idea;
el mar pone la lira, y yo la estrofa.

Ensayamos los himnos de alas de oro
que, ceñidos de olímpica guirnalda,
en orgía de luz cantan en coro
los bardos de las islas de esmeralda.

Y entre dulces y lánguidos desmayos
vuelan al cielo azul las rimas bellas.
Y en su cáliz de pétalos de rayos
las recogen las pálidas estrellas.

OYEME

¡Virgen! Oyeme atenta.
Yo tengo alas; yo vuelo.
Yo sé lo que se cuenta
la tierra con el cielo.
La musa azul que columpió mi cuna
me dicta versos vagos;
versos como los rayos de la luna
versos como la espuma de los lagos.

Yo te haré, virgen bella,
estrofas legendarias,
de arreboles de estrella,
de alas crepusculárias.
Una ráfaga estiva
a la tierra me trajo.
Sé qué cantan los ángeles arriba,
lo que sueñan las vírgenes abajo.
Yo desprecio las mofas.
Yo adoro los laureles y las palmas.
Yo amo la luz y el ritmo. Yo hago estrofas
que desposan las almas.

A UNA NUBE

Blanca nube peregrina,
¿dónde el austro te encamina?
¿Hallas muy dulce, al rayo de luna,
flotar en el cristaal de la laguna?
¿Acaso de otros astros, de otros soles
anhelas los celajes y arreboles?
¿Que del globo en que moras, blanca nube,
el tedio agostador hasta ti sube?
¿El soplo de la sangre que él derrama
tus alas de vapor salpica, inflama?
¿Las notas que se ciernen sobre el suelo
temes que tornen tu vapor en hielo?...
Blanca nube peregrina,
¿dónde el austro te encamina?

CONFIDENCIAS

I

Me preguntas por qué mi pobre lira,
mi pobre lira que jamás reposa,
en lugar de reír siempre suspira,
en lugar de cantar siempre solloza.

Con el dolor en perdurable guerra,
sin gozar nunca del menor encanto,
perdido en el desierto de la tierra,
marco mis huellas con acerbo llanto.

En busca de las fuentes de la vida,
para calmar la sed que me devora,
surco la inmensidad desconocida
a través de una noche sin aurora.

Oigo con ansiedad los ritmos vagos
de la infinita, misteriosa queja

que brota de las selvas y los lagos,
cuando ya del espacio el sol se aleja.

Contemplo con pavor la fuerza extraña
con que, juguete de sus iras locas,
el piélago se estrella en la montaña
que desgarra su espuma con sus rocas.

II

Yo también tuve instantes halagüeños,
en que batieron con rumor sonoro
raudos enjambres de brillantes sueños
en derredor de mí sus alas de oro.

Sí. Yo también, con íntimo embeleso,
en dulces horas de apacible calma,
me dormí muchas veces bajo el beso
de los sueños que cruzan por el alma.

Sí. Yo también, cuando la luna asoma
y argenta con serenos resplandores
las tibias brumas de la parda loma,
deliré con fantásticos amores.

Con un amor sin fin que ante mis ojos
hizo girar sin tregua, sin sosiego,
una mujer fatal de labios rojos,
de talle ondulador y ojos de fuego.

III

También yo puedo en mi dolor profundo
volver hacia el pasado la mirada,
y evocar con mis lágrimas un mundo
que para siempre ya se hundió en la nada.

Mas, ¡ay! yo dejo que ese mundo duerma
con el sueño letal del polvo frío.
El no puede llenar de mi alma enferma
el insondable sepulcral vacío.

IV

Cada murmullo con que el viento zumba
me parece el acento dulce y tierno
con que en su lecho el ángel de la tumba
me convida a dormir el sueño eterno.

Nada me importa ya que en lo infinito
reine la noche ni que el sol irradie.
Sólo sé que en el mundo en que me agito,
¡nadie me entiende ni yo entiendo a nadie!

ASTEROIDES

¡Qué ardiente que estalla el rayo
en tus pupilas brillantes
cuando en mi cálamo ensayo,
en las vendimias de Mayo,
la canción de las bacantes!

Si parece que quisieras
imitar sus locas danzas,
columpiando tus caderas
en las lúbricas quimeras
de un espasmo que no alcanzas.

Si parece que sin tino
te arrojaras en mis brazos,
y aunque riendo del destino,
en el frenesí del vino
te hiciera al fin mil pedazos!

* * *

¡No bastan los abrojos de la tierra!
La turba grita todavía: ¡Guerra!

Aun la turba ruin no desentraña
que es siempre algún tirano quien le engaña.

¡Oh, la pobre turbamulta que aun ignora
que es la paloma que el halcón devora!

No surja un redentor allá en sus penas
a limar con sus manos sus cadenas,

no surja, no, con su misión divina!
Tendrá, si no la cruz, la guillotina!

Tuvieron ya — por dilatar su ruta —
unos la hoguera y otros la cicuta.

* * *

Bajo el azul de la pálida bruma
en el tibio crepúsculo vago,
se dan besos de luz y de espuma
la estrella y el lago.

Y confunden sus rítmicas ondas
en las sienes de mármol de Ucle
de las pálidas vírgenes blondas,
el aura y el bucle.

Y entre el cielo azulado y la cuna,
bajo un nimbo de cándido armiño,
se dan cita en un rayo de luna
el ángel y el niño.

Y pasean en triunfo en la cima,
coronados de mirto y de nardo,
en las olas de luz de la rima,
la musa y el bardo!

* * *

A veces lloramos, a veces reímos,
y así de año en año tejemos las horas,
y así viviremos en tanto morimos,
quizá si tras pocas o muchas auroras.

Mas cuando arribemos al último día,
podrá por lo menos, al fin, consolarnos
que es ya nuestra débil, postrer agonía
lo más que la muerte tendrá que arrancarnos!

* * *

Embriaga mis extáticos sentidos
la ardiente ondulación que se levanta,
al compás de tus rítmicos latidos,
debajo de tu mórbida garganta.

Tras los encajes de la gasa leve
que tus senos de virgen medio encubre,
yo entreveo dos copos de la nieve
que torna en manantial el sol de Octubre.

* * *

¡Oh, vieja tierra del Asia
que nunca, nunca te agostas!
En ti mi mente se espacia,
y en moldes de oro al fin vacia
los perfiles de tus costas.

Hacia ti mi mente vuela,
recorriendo de una en una
las etapas de la estela
con que el Pacífico riela
la melancólica luna!

En ti nacen sin afanes,
sin dolores, sin infamias,
las Evas y los Adanes,
en vaporosos Ceilanes
y en vagas Mesopotamias.

Detrás de las nieblas tuyas,
bajo palios de rubíes,
cantan dulces aleluyas
en las áureas liras suyas
Saras, Querubes y Huríes.

En ti pálidos Moiseses,
al golpe de sus bordones
y al conjuro de sus preces
les arrancan muchas veces
agua viva a los peñones.

En ti, Mahomas y Budas,
y Cristos y Zoroastros,
van con las sienes desnudas
en pos de las tumbas mudas
encendiendo nuevos astros!

* * *

Apoyo la cabeza en mi antebrazo
y de homérico júbilo me inundo!
Veo, al fin, en las heces de mi vaso,
como un náufrago ruin flotar el mundo!

¡El mundo es ya un cadáver! —¡El se escombra
dejando el rastro funeral del miasma!
No es ya más que el sarcasmo de una sombra!
No es ya más que la sombra de un fantasma!

¡El mundo es ya un cadáver! Puesto, entonces,
que yo no cupe en él, ni él en mí cupo,
y él siempre a traición me hundió sus bronces,
justo es que yo lo escupa, y yo lo escupo!

FRANCISCO A. DE ICAZA

1863 - 1925

México. Un erudito empeñado en largas y difíciles pesquisas literarias, que se daba tiempo para el cultivo del verso, en un número no excesivo de composiciones de singular agilidad. Conocedor eximio de Lope y de Cervantes, vivió en España muchos años y dedicó no pocos de sus versos a diversos aspectos de la vida española, entre los cuales prefirió los más populares y de entonación regional.

POEMAS SIN PALABRAS

Otro más hábil y activo,
con los asuntos dispersos
en los libros, hace versos;
yo los vivo.

Y a veces su poesía,
ni plástica ni sonora,
rebelde a la melodía,
se evapora.

Yo la aspiro y la consumo
en espirales de ensueño,
y en fabricar no me empeño
con el humo.

Oigo su música ignota;
es la canción de mi vida,
una fuente que borbota
escondida.

Y, soñador inactivo,
dejo que floten dispersos
en la atmósfera mis versos
y los vivo.

¡SER FELIZ!

Ser feliz; ¡ser feliz! Nadie lo ha sido;
¿quién no llora sus penas en secreto?
Y ¿quién de entre vosotros ha podido
sentirse venturoso por completo?

Yo no busco la dicha; me someto
al yugo que al nacer he merecido,
y vivo al tedio y al dolor sujeto,
guardando los rencores del vencido.

Y si la vista sobre el cielo clavo
ante el obscuro enigma, fuerte y bravo,
no busco la esperanza que consuela.

Aunque el golpe del látigo me duela,
como no tengo condición de esclavo,
el sentir el azote me rebela.

LA CANCION DEL CAMINO

Aunque voy por tierra extraña
solitario y peregrino,
no voy solo, me acompaña
la canción en el camino.

Y si la noche está negra,
sus negruras ilumino:
canto, y mi canción alegra
la oscuridad del camino.

La fatiga no me importa,
porque el báculo divino
de la canción, hace corta
la distancia del camino.

¡Ay, triste y desventurado
quien va solo y peregrino,
y no marcha acompañado
por la canción del camino!

PROMESA

No labraré tu busto sobre Carrara;
esculpirlo con frases no me intimida:
¿qué es el mármol? Es piedra. ¿Quién lo compara
con esa faz radiante, que es toda vida?

En sus pálidos tintes marfil parece,
es seda y porcelana por la tersura,
nieve que el sol colora cuando amanece,
y azucenas y rosas por la frescura.

Pero el marfil, la seda, la porcelana,
la nieve, el sol, las rosas, las azucenas,
no tienen la corriente de vida humana
que en azulado curso miro en tus venas.

Yo copiaré tus labios cuando sonrías;
yo copiaré tus dientes cuando resalte
en el rosáceo estuche de tus encías,
como oriente de perlas, su blanco esmalte.

Haré con el cabello claro y sedoso
los ideales nimbos de tu cabeza;
modelaré tu cuello, que está orgulloso
de levantar, erguido, tanta belleza.

Pintaré sentimientos y sensaciones,
y verás el contraste que siempre existe
entre la calma estoica de tus facciones
y tu inmensa mirada, profunda y triste.

Realizaré mi empresa como ninguno;
líbrenme del marasmo que mi alma enerva
tus labios bondadosos, que son de Juno;
tu ceño pensativo, que es de Minerva.

Para copiar tu imagen no necesito
mármol, cincel, colores, lienzo y pinceles;
que surgirá radiosa del verbo escrito,
cual si la hicieran Zeuxis y Praxiteles.

Que tu mano de musa mi frente toque,
y seré el inspirado, seré el poeta;
haré de la palabra cincel y bloque,
colores y pinceles, lienzo y paleta.

LUIS G. URBINA

1864 - 1934

México. Puede llamársele modernista temperado porque en su obra no comparecen los alardes con que se hacen notar otros secuaces del Modernismo. Su obra revela espontaneidad, humorismo contenido y gran fluencia sentimental, pero toda ella parece igualmente, reducida por el autor, con severa autocrítica, a lo esencial y a lo de mayor sustancia.

ESTE CLAVEL

Este clavel que esparce por la estancia
un fuente *odor di fémina,* me turba,
y en mi imaginación, con rara instancia,
evoca de una boca la fragancia,
y de unos pechos de mujer, la curva.
¡Ah, visión juvenil, tu vino escancia
en el cristal del corazón exhausto!
Eres no más la sombra de una idea,
la tentación que, efímera, chispea
en el birrete doctoral de Fausto.

Este clavel que mi sensorio incita,
enciende mi recuerdo, como un nimbo.
Este fragante y mórbido corimbo
está hecho de carne de Afrodita.
El nombre de una ausente balbuceo,
y por mi soledad de cenobita
pasa un soplo de amor y de deseo.

DE REMBRANDT

I

—...Sí, pobre amiga, prefirió el oscuro
rincón de su taberna, del que un día,
ebrio a la vez del vino y poesía,
se alzó tambaleante e inseguro:

hincó la mano trémula en el muro,
sacudió la cabeza, hosca y bravía,
y pasó por sus ojos todavía
la luz de un verso misterioso y puro.

Fue un soñador neurótico y divino
que alumbró el matorral de su locura
con la lámpara de iris de Aladino,

y prefirió a tu amor y a tu hermosura,
la embriaguez luminosa de su vino,
su viejo vaso y tu taberna oscura.

II

Tú muchas veces lo llamaste. En vano
apareció en su noche tu belleza,
y se inclinó tu pálida cabeza
hasta besar el dorso de su mano.

Tu frenesí le pareció liviano,
tu desnudez olímpica, impureza;
y se volvió a mirar a la tristeza
y a sonreír al ideal lejano.

Se puso en pie para morir, y quiso
como inviolada nieve de la altura
mostrar su sueño, blanco e impreciso;

y prefirió al amor y a la ternura
su artificial y ardiente paraíso,
su viejo vaso y su taberna oscura.

A UNA ONDA

Arrulla con tus líricas canciones,
enjoyada de luces y reflejos,
onda terca que vienes de tan lejos
arrulla mis postreras ilusiones.

La juventud se va, se van sus dones;
del placer quedan los amargos dejos,
de la pasión los desencantos viejos
y del dolor las tristes emociones.

Queda la vida, que el instinto afianza,
queda el recuedro del amor perdido,
y queda el ideal que no se alcanza.

Tú, que cantando sueños has venido,
onda lírica, dame la esperanza,
y si no puede ser . . . dame el olvido.

IDEAL INFANTIL

Beber, en un dulce Leteo,
la paz, que es la dicha suprema.
Labrar un gentil devaneo
como un diamantista la gema.

Avivar de la fe el centelleo
y llevarlo como una diadema.
Teñir de ilusión el deseo.
Hacer de la vida un poema.

Un jardín silencioso. Un cariño.
Una fuente. La risa de un niño.
Cielos claros y rutas sin lodo.

Paz humilde. Serena alegría.
Era todo lo que yo pedía.
Era todo. Era todo. Era todo.

PLEGARIA

Que un cuerpo de bacante, tibio y blanco,
mi amor impuro encuentre,
de recias carnes y flexible flanco,
anchas caderas y macizo vientre.
¡Oh amor impuro! Para ti, que el grueso
rubí caliente de la boca se abra,
a confundir en el convulso beso
el suspiro, la risa, la palabra.
Que húmedas brillen las pupilas, llenas
de languidez tras el encaje obscuro
de las pestañas, implorando obscenas
caricias locas a mi amor impuro.
Que en los senos, de albura nacarada,
se yerga, rojo y alto, el pezón breve,
como rosa de púrpura clavada
en un alcor de nieve.
Que venga hasta mi alcoba, de improviso,
el mármol hecho carne; que del friso
las figuras eróticas se muevan;
que torne el alma a la escultura inerte,
y que sienta en mi ser que se renuevan
las juveniles ansias.
Que la muerte
me sorprenda, en un grito de entusiasmo
—ya libre del dolor y de la duda—,
en el supremo instante en que el espasmo
mis miembros y mi espíritu sacuda.

¡Materia, vieja madre! Estoy rendido
de ir tras el ideal; búscame un nido
donde sacie mi ardor sus devaneos,
la idea y el dolor me han consumido
y ya sólo me quedan los deseos.

Que del templo en el pórtico distante,
en éxtasis profético, los sabios
mediten; yo a ti vuelvo, hijo constante,
con un verso de Ovidio entre los labios:
Sé compasiva . . .
¡Quiero una bacante!

¡ALELUYA!

¡Aleluya, aleluya,
aleyuya, alma mía!
Que en un himno concluya
mi doliente elegía:
Ya me dijo: ¡Soy tuya!
Ya le dije: ¡Eres mía!
Y una voz encantada
que de lejos venía,
me anunció la alborada,
me gritó: ya es de día!

Todo es luz y tibieza
lo que fue sombra fría;
se apagó la tristeza,
se encendió la alegría.
Ya le dije: ¡Eres mía!
Ya me dijo: ¡Soy tuya!
— ¡Cuánto sol tiene el día! —
¡Aleluya, aleluya,
aleluya, alma mía!

TRIPTICO CREPUSCULAR

En el cielo

El cielo y yo quedamos frente a frente.
Y eran como tropel de informes canes
persiguiendo una fuga de titanes,
las nubes milagrosas del Poniente.

En el fondo de púrpura candente,
los forzados y altivos ademanes
erguíanse en coléricos afanes
y vaguedad de sueño . . .
De repente
se iluminó de sol el friso obscuro,
y el oro interno, sideral y puro,
rompió en deslumbramientos de escarlata,

resplandeció con palidez de luna,
y lentamente se deshizo en una
apacible visión de ópalo y plata.

En el lago

Las aguas, con azul fosforescencia,
reflejan el crepúsculo divino
más tenue, más sutil, más cristalino
bajo una luminosa transparencia.

Las ondas, en su gárrula impaciencia,
se desgranan en polvo diamantino,
y en un rosa de nácar, dulce y fino,
diluyen de los rojos la violencia.

Los matices celeste, áureos domos,
torres de llama, encajes policromos,
submarinos alcázares fabrican;

y el lago, en la fusión de los colores,
es un muaré joyante, que salpican

de pétalos de luz, ardientes flores.

En el alma

...Y todo vive en mí... pero ¡quién sabe!
Entre la sombra, la conciencia mía
canta con ideal melancolía,
no sé qué sueño misterioso y grave.

Por una estela de oro va la nave
rumbo hacia el horizonte en agonía,
y a lo lejos, nostálgica del día,
en el postrer fulgor se baña un ave.

Yo pongo en la remota lontananza
una piadosa y mística esperanza
como una ofrenda a mis delirios vagos,

y junto mis humanos desconsuelos
al dolor infinito de los cielos
y a la inmortal tristeza de los lagos.

MEDIO DIA

El agua está cual nunca de linda y de coqueta;
no hay rayo que no juegue, no hay ola que no salte;
de lejos, tiene rubios perfiles su silueta,
y azul es en la playa, con limpidez de esmalte.

Vestida está de fiesta; no hay joya que le falte;
las barcas, a su paso, le dejan una inquieta
cinta de plata virgen, para que así resalte
la luz en el radioso brocado de violeta.

Cerca, en el promontorio de musgos y basaltos,
un gran plumón de nubes se tiende y busca asilo:
al fondo, van las cumbres en los celajes altos,

rompiendo el horizonte con su cortante filo,
y en el confín, que esplende, se funden los cobaltos
del cielo y las montañas, en un zafir tranquilo.

EL BAÑO DEL CENTAURO

Chasquea el agua y salta el cristal hecho astillas,
y él se hunde; y sólo flotan, del potro encabritado
la escultural cabeza de crines amarillas
y el torso del jinete, moreno y musculado.

Remuévense las ondas mordiendo las orillas,
con estremecimiento convulso y agitado,
y el animal y el hombre comienzan un airado
combate, en actitudes heroicas y sencillas.

Una risueña ninfa de carne roja y dura,
cabello lacio y rostro primitivo, se baña;
las aguas como un cíngulo, la ciñen la cintura;

y ella ve sin pudores . . . y le palpita el seno
con el afán de darse, voluptuosa y huraña,
a las rudas caricias del centauro moreno.

ALTO INSOMNIO

En el silencio de mi alcoba suena
a compás el reloj, como un latido.
Sólo él y yo velamos. Se ha dormido
la noche.

En el balcón una serena
y tibia claridad de luna llena,
es tul de plata en el cristal prendido,
y de mi pecho en el oculto nido
canta tu amor, como una filomena.

Todo está en paz de Dios; del fondo incierto
brota una evocación. El libro abierto
bajo el fulgor de la bujía espera.

Yo pienso en tí; tu sombra me acompaña;
y me agita el espíritu una extraña
germinación de bosque en primavera.

EL RUISEÑOR CANTABA

El ruiseñor cantaba. La noche era divina,
toda cendal de nieve, toda cristal azul;
y en el jardín de plata, la coruscante encina
alzaba entre la sombra su cúpula de luz.

El ruiseñor cantaba. Y en un ambiente extático
dormían las praderas. Cantaba el ruiseñor;
el viento flébil, alitendido y aromático,
soplaba el adorable cantar, de flor en flor.

Y repintó las cumbres la aurora ardiente y flava,
y levantó la alondra su trino matinal,
y abrió su seno el día . . . y el ruiseñor cantaba
soñando en el nocturno misterio de cristal.

Vino la siesta cálida; la tarde pensativa
vino; la noche negra sus lumbres apagó,
y el ruiseñor cantaba, como si la votiva
lámpara de la luna colgase de un crespón.

Estío, otoño, invierno, primavera . . . Y el canto
surgía de las verdes entrañas del jardín,
alegre y melancólico —ora risa, ora llanto—,
inacabable y único, magnífico y sin fin.

El ruiseñor se había vuelto loco; se había
embriagado de luna, de sueño y de pasión,
y cantaba, cantaba! . . .
(Como la poesía
que llevo en el obscuro jardín del corazón).

ASI FUE

Lo sentí: no fue una
separación sino un desgarramiento.
Quedó atónita el alma, sin ninguna
luz; se durmió en la sombra el pensamiento.

Así fue, como un gran golpe de viento
en la serenidad del aire. Ufano,
en la noche tremenda,
llevaba yo en la mano
una antorcha con que alumbrar la senda,
y que de pronto se apagó. La oscura
asechanza del mal y del destino
extinguió así la llama y mi locura.

Vi un árbol a la orilla del camino
y me senté a llorar mi desventura.
Así fue, caminante
que me contemplas con mirada absorta
y curioso semblante.
Yo estoy cansado, sigue tú adelante.
Mi pena es muy vulgar y no te importa.

Amé, sufrí, gocé, sentí el divino
soplo de la ilusión y la locura.
Tuve una antorcha, la apagó el destino,
y me senté a llorar mi desventura
a la sombra de un árbol del camino.

SUB TERRA

Cuando yo muera, que cubran
con mis cantares el féretro,
que pongan por almohada
mis coronas y mis versos;
quiero llevarme conmigo
a la sombra y al misterio
todo lo que en este mundo
brotó de mi pensamiento.
Que me lleven mis amigos,
sin lágrimas y en silencio,
al rincón más solitario
del sombrío cementerio.
Que vean que cave honda
la fosa el sepulturero;
donde no sea posible
que llegue a turbarme un eco.
Que allí me dejen, que olviden
mi paso por este suelo,
o que, si se acuerdan, digan:
"Sufrió mucho, pero ha muerto."
Y yo, dormiré entretanto;
soñando, si acaso sueño,
con mis desdichas postreras,
con mis amores primeros,
en las tardes del Otoño
y las noches del Invierno,
en que, llegando a mi puerta
la Musa, tocaba quedo,
se iluminaban de pronto
las sombras de mi aposento,
crujía mi negra lámpara,
lanzaba quejas el cierzo,
yo deshojaba tranquilo
las flores de mis recuerdos,
y Ella, tomando mi frente

que sellaba con un beso,
las blancas alas abría
para remontarme al cielo!
Y como estará cercado
con mis cantares el féretro,
tal vez bese mis coronas,
quizá recite mis versos;
y si entonces toma forma
lo que quedó en el cerebro,
cual después de los festines
en la copa quedan luego
las rojas heces del vino,
y aun se agita el pensamiento,
yo os juro que algunos años
después del triste suceso,
han de brotar de mi tumba,
hechos flores, cantos nuevos!

ISMAEL ENRIQUE ARCINIEGAS

1865 - 1938

Colombia. Diplomático y traductor insigne de poetas extranjeros, Arciniegas dejó escaso tiempo a la labor poética propia, aún cuando dispusiera de condiciones excelentes. Breve, lacónico, voluntariamente medido, con alguna exquisitez parnasiana, alcanzó a asomarse en el Modernismo venciendo la resistencia que la tradición literaria colombiana opuso instintivamente a ese movimiento.

LA CANCION DEL PAJE

Yo fui un caballero de galana corte,
la galante corte de la flor de lis;
fui preso en Italia, me batí en el Norte.
Yo fui un caballero de galana corte,
la galante corte de la flor de lis.

Pajecillo rubio de la regia estancia
y al noble servicio de Su Majestad,
cual mágico ensueño floreció mi infancia,
y en dorado ambiente de sutil fragancia
resbaló entre rosas mi primera edad.

Después, en las jiras y fiestas reales,
novel cortesano, las damas serví.
Cegaban mis ojos sus gemas triunfales,
y entre un oleaje de sedas ducales
confusas pasiones nacieron en mí.

De muchas intrigas desgarré los tules,
guardando secretos aprendí a callar,

y adoré a esas damas de ojeras azules,
de gallardo porte y onduloso andar.

Bajo las soberbias iluminaciones
las vi en las alfombras deslizar su pie;
purpúreos brillaban sus rojos tacones,
cual si resbalasen sobre corazones
en las amplias curvas del gentil minué.

Siendo aún muy niño, ¡cómo me inquietaban
con su tentadora gracia femenil!
y si picarescas en mí se fijaban,
un fulgor de gloria sus ojos dejaban
en el claroscuro de mi alma infantil.

Luego, adolescente, las ingenuidades
pronto se trocaron en hondo saber.
Fui flor de capricho de altivas deidades,
las que deshojaron mis virginidades
con sus milagrosos dedos de mujer.

Y después, osado, decidor, valiente,
en hermosas lides salí vencedor,
y en más de un rosado camarín de seda,
como el cisne loco tras la flor de Leda,
¡con mis veinte abriles coroné al Amor!

¡Oh, qué de aventuras! Disipa el hastío
evocar escenas de remota edad:
¡Aquí la acechanza, y allá el desafío;
y por sobre todas, el cuadro sombrío
de aquel duelo trágico en la obscuridad!

¡Y cuántas zozobras y rabia infinita
fieras se adueñaron de mi corazón,
cuando en esa noche de suprema cita,
mi dulce coloquio con la duquesita
malicioso y pérfido, sorprendió el bufón!

Pero siempre osado, por lograr mi empeño,
desafié el peligro, lleno de altivez;
la locuela rubia me robaba el sueño,
con sus grandes ojos, su labio risueño,
y el albor sedoso de su fina tez.

Y fui el más dichoso de todos los pajes:
abeja de amores, acudí al rosal;
nos dieron abrigo discretos follajes,
y entre aromas tibios, y crujir de encajes,
miel de crespos oros, se rompió el panal.

Olvidar no puedo la egregia aventura
que ocurrió en el bosque: De la reina en pos,
un instante, solo, bajo la espesura
me encontré con ella. Miré su hermosura
y en grave silencio temblamos los dos.

Poblaban el bosque rumores lejanos,
vibraban las trompas con extraño son;
yo creí muy lejos a los cortesanos,
¡y oprimí sus manos con febril pasión!

Vencido el respeto, con vivos antojos,
pensé que en amores la ocasión es ley;
mas su faz de pronto floreció en sonrojos,
¡y juntos miramos con inquietos ojos
asomar los finos sabuesos del Rey!

¡Deliciosas damitas, nobles caballeros,
siluetas rosadas de pupila azul;
guardias, chambelanes, pajes y monteros,
con rumor de copas y chocar de aceros
os borráis lejanos a través de un tul!

Yo fui un caballero de galana corte,
la galante corte de la flor de lis;
fui preso en Italia, me batí en el Norte.
¡Yo fui un caballero de galana corte,
la galante corte de la flor de lis!

CREPUSCULO

En los bosques palpita no sé qué misterioso;
allí existen los raros sortilegios y hechizos
que en la flauta canora de los siete carrizos
puso el genio bicorne de testuz luminoso.
Cuando cruzo en la tarde bajo el palio frondoso
de la selva, en que brotan resplandores rojizos,
en penumbras orladas de festones y rizos
danzan rubios fantasmas de perfil vagoroso.
A lo lejos, radiante, boga el cisne de Leda;
mariposas cubiertas de esplendor y de seda
acarician mi frente con sus frágiles tules.
¡Oigo risas y cantos de fugaces ondinas,
y me besan las flores con sus bocas divinas
y las fuentes me miran con sus ojos azules!

ABISMOS

En un caracol marino
quise una vez escuchar,
el gran rumor de las olas
cuando quiebran su cristal.

Empeño vano: en su fondo
la rugiente inmensidad,
no dejó ni un eco, nada,
una leyenda, ¡no más!

Luego, en un cráneo vacío
escuché sin respirar,

por sorprender el secreto
de las almas que se van.

¡Y entre su cuenca sombría,
oí con medroso afán,
un rumor hondo, lejano,
que me llenó de ansiedad!

EN LA PLAYA

El mar contra el escollo
una lluvia de lirios parecía,
y entre el susurro del palmar se oía,
lejos, la queja de un cantar criollo.

Llegaban a tus pies espumas rotas
en cambiantes de luz rosada y lila,
y entre un vuelo callado de gaviotas
se dormía la tarde en tu pupila.

EL ANOCHECER

Canta la fuente en el jardín. La tarde
se apaga, seda y oro, y una nube
en el ocaso entre arreboles arde.
Baja la noche. El pensamiento sube.

En torno, sombras. Entra.
Todo en reposo. El bosque es negra mancha.
La visión del espíritu se ensancha
y el alma en el recuerdo se concentra.

En las manos la frente taciturna.
Sueño... Sombras. Callada la arboleda.
Todo se ha ido...
En la quietud nocturna
el rumor de la fuente sólo queda.

PINCELADAS

Sobre la casta nieve de tu frente
cruza un águila negra.
Sus finas alas al volar se curvan
en arcos de azabache. ¡Son tus cejas!

Prisionero de Amor, tus bellos ojos
por el peligro de su llama intensa,
como apretado batallón los guardan
en doble fila tus pestañas crespas.

¡Oh prisioneros de mirar divino,
tanto brilláis entre las lanzas negras,
que por salvaros, venceré con súplicas
aunque haya de besar los centinelas!

SIEMPRE

Por ti serán siempre mis hondos cantares
por ti nuevas trovas ensayan sus vuelos;
tú has sido en mi senda de mudos pesares
rosal florecido de amor y consuelos.

¡La perla más blanca de todos mis mares,
la estrella más dulce de todos mis cielos,
la flor más gloriosa de los azahares,
el premio más grande de ocultos anhelos!

Sólo por amarte comprendo la vida;
tan sólo por verte perdono la herida
de males que hieren sin tregua ni calma.

Por ti hay nuevas rosas sobre los senderos,
y como jazmines, temblantes luceros
despliegan sus broches de luz en el alma.

EL POETA BOHEMIO

Desencajado, la pupila inquieta,
y trémulo el andar, roto el vestido,
como en vagos ensueños abstraído,
del viejo bodegón salió el poeta.

¿Qué pena oculta, qué pasión secreta
clama en su pecho soledad y olvido?
¿Qué voz de indignación como un rugido
vibra en su labio y a los cielos reta?

Y maldijo los cantos de su lira,
y llamó la virtud un nombre vano,
humo la gloria y el amor mentira;

y al caer desplomado en las baldosas,
traía el aura del jardín cercano
fragancia de jazmines y de rosas.

FABIO FIALLO

1866 - 1942

República Dominicana. Poco fecundo, sentimental, quejumbroso, Fiallo ocupa un sitio algo separado del coro modernista, si bien fue amigo personal de Darío y estrecho admirador de sus empresas literarias. Los problemas políticos y de soberanía de su patria le restaron tiempo para escribir en el tono desinteresado que exigía el Modernismo; pero algunos de sus poemas caben en esta selección, por estricto que sea el criterio empleado para formarla, ya que Fiallo era sin duda todo un poeta.

ERA UNA TARDE

¡Oh mi amada! ¿Te acuerdas? Esa tarde
tenía el cielo una sonrisa azul,
vestía de esmeralda la campiña
y más linda que el sol estabas tú.

Llegamos a las márgenes de un lago.
¡Eran sus aguas transparente azul!
En el lago una barca se mecía,
blanca, ligera y grácil como tú.

Entramos en la barca abandonándonos,
sin vela y remo, a la corriente azul;
fugaces deslizáronse las horas:
no las vimos pasar ni yo ni tú.

Tendió la noche su cendal de sombras,
no tuvo el cielo una estrellita azul...
Nadie sabrá lo que te dije entonces,
ni lo que entonces silenciaste tú...

Y al vernos regresar Sirio en oriente
rasgó una nube con su antorcha azul...
Yo era feliz y saludé una alondra.
Tú... ¡qué pálida y triste estabas tú!

LIS DE FRANCIA

Leve olor de un lis de Francia
se insinúa por la estancia
donde se viste mi amor:
ese olor es la fragancia
de su ingénita elegancia,
su propio aroma de flor.

Copia en mitad de la alcoba
un tocador de caoba
su blancura de jazmín,
mientras blanda piel de loba
en el deleite se arroba
de besar su pie gentil.

¡No hay oro de enredadera
igual a su cabellera!
Cuando la asoma al balcón
despeinada, se dijera:
¡La más altiva bandera
en un reto contra el sol!

Y tal profusión de rosas
guarda en su cuerpo mi hermosa,
que su cuerpo es un jardín

de las rosas más pomposas
y raras y misteriosas
que trajo en su cesto abril.

Altar de impolutos lirios
es su frente; cual dos cirios
arde en sus ojos la luz
que me exalta hasta el delirio
de arrostrar cualquier martirio
sobre sus brazos en cruz.

RIMA PROFANA

La blanca niña que adoro
lleva al templo su oración,
y, como un piano sonoro,
suena el piso bajo el oro
de su empinado tacón.

Sugestiva y elegante,
toca apenas con su guante
el agua de bautizar,
y queda el agua fragante
con fragancias de azahar.

Luego, ante el ara se inclina,
donde un Cristo de marfil
que el fondo oscuro ilumina,
muestra la gracia divina
de su divino perfil.

Mirándola, así, de hinojos,
siento invencibles antojos
de interrumpir su oración,
y darla un beso en los ojos
que estalle en su corazón.

CARNET DE CARNAVAL

Tras la fina careta de raso,
encubierto el perfil seductor,
a mí llegas con rítmico paso
hilvanando una intriga de amor.

¡Oh!, no importa que veles la cara,
pues denuncian tu estirpe ancestral,
el altivo ademán y la rara
distinción de tu porte ducal.

Fue ilusión por demás candorosa
que un disfraz te pudiera esconder:
si entre sombras se oculta una rosa,
su perfume la da a conocer.

Y es inútil que el labio de fresa
disimule un precioso mohín;
yo adivino ese gesto en que presa
sufrió un alma desdenes sin fin.

Y conozco, también, bajo el guante
tu alba mano, que es lírica flor,
donde anula su luz un brillante
y marchita un rubí su esplendor.

¡Oh, la hermosa de pálida frente,
princesita gentil de Estambul,
que el Ensueño nos trajo de Oriente
en su góndola de oro y azul!

En mis noches de fiebre te veo
asomada al oscuro balcón,
donde prende su escala Romeo,
y una alondra te da su canción.

GUSTAVO VALLEDOR SANCHEZ

1868 - 1930

Chile. Prevalece en él, como rasgo modernista, el exotismo del paisaje, ya que le interesaron escenas de la Grecia pagana. Su instrumento preferido fue el soneto. A pesar de la escasez insigne de su producción, con ella se inscribe dentro de la escuela humanista de la poesía chilena, después de Eduardo de la Barra (1839-1900) y junto a Julio Vicuña Cifuentes (1865-1936).

SUEÑO DE OPIO

Siento los raudos sones
de música lejana...
¿Quién viene a murmurarme sus canciones
en la alegre mañana?

Aroma de azucenas
y de tempranas rosas,
pasan y ahogan mis antiguas penas
en ondas voluptuosas.

Y el rayo de sol tibio
que cae en mis pupilas,
me hace soñar en el inmenso alivio
de las almas tranquilas.

¿Quién puede haber bajado
hasta mi pobre lecho?
¿Quién puede, silenciosa, haber llenado
de repente mi pecho?

¿Quién esta primavera
de luz, perfume y flores
me trae el recuerdo de otra era
de perdidos amores?...

Es un hermoso día.
El cielo está sereno.
Los ángeles radiantes de alegría
se agitan en su seno.

Y en la nevada cumbre
de los montes, mi alma
flotar quisiera a la dorada lumbre
de esta mañana en calma.

Todo palpita y goza:
¡es muy bella la vida!
Lejos... una morada misteriosa
donde vaga dormida

la virgen de los sueños...
tocando su harpa mística.
Es el país azul de los ensueños,
¡es la Bagdad artística!

AURORA

Frío está el horizonte. Todo es hielo.
En la niebla lejana que se esfuma,
como en lecho real de blanca pluma
surge la aurora en apacible vuelo.

Trae de rosa transparente velo
bajo el cual un misterio se consuma;
y el incienso que sube es una bruma
que envuelve en ondas trémulas el cielo.

Es un país lejano donde un alma
debe vagar en misteriosos sueños
en el pálido nimbo de los astros;

y donde tiene en infinita calma
su palacio de perlas y alabastros
la virgen sideral de los ensueños...

MELANCOLIA

Yo tengo en mi alma extraña poesía
con no sé qué de llanto y de plegaria;
mi culto es una virgen solitaria
que se suele llamar Melancolía.

Hijo del siglo y de su duda impía,
yo busco la belleza como un paria
busca una patria..., y en la lucha diaria
hallo la vida sin objeto y fría.

¡Ah este misterio incomprensible y hondo,
este amor infinito a la belleza
que en el silencio de mi alma escondo!...

Sólo deja un consuelo en su aspereza:
el de haberme mostrado hasta su fondo
el divino placer de la tristeza.

RICARDO JAIMES FREYRE

1868 - 1933

Bolivia. Uno de los grandes innovadores de la métrica durante el período modernista. Compañero de Rubén Darío en la bohemia bonaerense de fines del siglo XIX, quiso agregar al paisaje helénico de aquél los ambientes hiperbóreos que le proporcionaba la mitología nórdica. Su obra poética es muy reducida, ya que el escritor fue, al mismo tiempo, historiador, tratadista de preceptiva literaria, etc., y empleó parte de sus años en labores diplomáticas y de gobierno.

MEDIODIA

En ese bosquecillo, bajo la umbría
que forman los bambúes y las palmeras,
hablaremos, si os place, señora mía,
de vuestras ilusiones y mis quimeras.

Mirad cómo los gajos de las magnolias
agitan dulcemente las brisas cálidas,
y a su soplo de fuego las centifolias
pliegan, estremecidas, sus hojas pálidas.

Erguidas y soberbias, sobre las ramas
fingen las amapolas rojos trofeos,
y tras de las espinas, alzan sus llamas
las rosas, encendidas como deseos.

Las albas azucenas doblan la frente,
como suaves y blancas reinas cautivas;
y ondulan en sus tallos, pausadamente,
amarillas y tristes, las siemprevivas.

Se abre la azul hortensia sobre la grama,
y blanqueando los muros de los jardines,
en profusión alegre se desparrama
la nevada olorosa de los jazmines.

Semejan las orquídeas lluvia de estrellas
sobre los viejos troncos indiferentes;
las camelias se yerguen, frías y bellas,
detrás de los helechos arborescentes.

Juegan alegremente risas y amores
sobre el plinto que enlaza la verde yedra;
y alza el busto soberbio bajo las flores
una Venus que adornan flores de piedra.

El sol de mediodía con sus reflejos
dora la faz de Juno, severa y pura,
y Diana, pensativa, mira a lo lejos,
el temblor de las hojas en la espesura.

Bajo la marquesina de la glorieta
tiende un cisne las alas de seda y nieve,
y busca, sobre el césped, su vista inquieta,
la huella fugitiva de un paso leve.

Junto a la clara fuente que el sol alegra,
chispeando en las aguas sus rayos rojos,
traza, en rápido vuelo, su sombra negra
un ave, perseguida por vuestros ojos.

Hay perfumes y cantos, luz y alegría
en el seno de todas las primaveras...

No llevemos la nieve, señora mía,
de ilusiones perdidas y de quimeras...

LOS ELFOS

Envuelta en sangre y polvo la jabalina,
en el tronco clavada de añosa encina,
a los vientos que pasan cede y se inclina,
envuelta en sangre y polvo la jabalina.

Los elfos de la obscura selva vecina
buscan la venerable, sagrada encina.
Y juegan. Y a su peso cede y se inclina
envuelta en sangre y polvo la jabalina.

Con murmullos y gritos y carcajadas,
llena la alegre tropa las enramadas;
y hay rumores de flores y hojas holladas,
y murmullos y gritos y carcajadas.
Se ocultan en los árboles sombras calladas,
en un rayo de luna pasan las hadas:
llena de alegre tropa las enramadas
y hay rumores de flores y hojas holladas.

En las aguas tranquilas de la laguna,
más que en el vasto cielo, brilla la luna;
allí duermen los albos cisnes de Iduna,
en la margen tranquila de la laguna.
Cesa ya la fantástica ronda importuna,
su lumbre melancólica vierte la luna,
y los elfos se acercan a la laguna
y a los albos, dormidos cisnes de Iduna..

Se agrupan silenciosos en el sendero,
lanza la jabalina brazo certero;
de los dormidos cisnes hiere al primero,
y los elfos los espían desde el sendero.

Para oír el divino canto postrero
blandieron el venablo del caballero,
y escuchan, agrupados en el sendero,
el moribundo, alado canto postrero.

SIEMPRE

¡Tú no sabes cuánto sufro! Tú, que has puesto más (tinieblas
en mi noche, y amargura más profunda en mi dolor!
Tú has dejado, como el hierro que se deja en una herida,
en mi oído la caricia dolorosa de tu voz.

Palpitante como un beso; voluptuosa como un beso;
voz que halaga y que se queja; voz de ensueño y de dolor...
Como sigue el ritmo oculto de los astros el océano,
mi ser todo sigue el ritmo misterioso de tu voz.

¡Oh, me llamas y me hieres! Voy a ti como un sonámbulo,
con los brazos extendidos en la sombra y el dolor...
Tú no sabes cuánto sufro; cómo aumenta mi martirio,
temblorosa y desolada, la caricia de tu voz.

¡Oh, el olvido! El fondo obscuro de la noche del olvido,
donde guardan los cipreses el sepulcro del Dolor!
Yo he buscado el fondo obscuro de la noche del olvido,
y la noche se poblaba con los ecos de tu voz...

ENTRE LA FRONDA

Junto a la clara linfa, bajo la luz radiosa
del sol, como un prodigio de viviente escultura,
nieve y rosa su cuerpo, su rostro nieve y rosa
y sobre rosa y nieve su cabellera obscura.

No altera una sonrisa su majestad de diosa,
ni la mancha el deseo con su mirada impura;

en el lago profundo de sus ojos reposa
su espíritu que aguarda la dicha y la amargura.

¿Sueño del mármol! Sueño del arte excelso, digno
de Escopas o de Fidias, que sorprende en un signo,
una actitud, un gesto, la suprema hermosura.

Y la ve destacarse, soberbia y armoniosa,
junto a la clara linfa, bajo la luz radiosa
del sol, como un prodigio de viviente escultura.

TIEMPOS IDOS

¿Por qué, cuando en ti pienso, mi fantasía
evoca los hechizos de aquellas fiestas
en que el amor llevaba la poesía
entre los dulces sones de las orquestas?

Yo te he visto en los lienzos encantadores
donde se inmortalizan fiestas mundanas;
en un parque poblado de aves y flores,
de Venus y de Junos y de Dianas.

Cuando hablaban las brisas entre las frondas
no sé qué de alegrías y de placeres,
irisando las quietas, azules ondas...
tal vez en el Embarque para Citeres...

En un banco de césped, bajo la umbría,
murmuraba un poeta sus epigramas,
y tu encendida boca se sonreía
y reían los pájaros entre las ramas.

Tu admirable belleza dominadora
encanto de los regios zagales fuera,
porque tras de tus pasos nace la Aurora
y brota en torno tuyo la Primavera.

LO FUGAZ

La rosa temblorosa
se desprendió del tallo,
y la arrastró la brisa
sobre las turbias aguas del pantano.

Una onda fugitiva
le abrió su seno amargo,
y estrechando a la rosa temblorosa
la deshizo en sus brazos.

Flotaron sobre el agua
las hojas como miembros mutilados,
y confundidas con el lodo negro,
negras, aun más que el lodo, se tornaron.

Pero en las noches puras y serenas
se sentía vagar en el espacio
un leve olor de rosa
sobre las turbias aguas del pantano.

PEREGRINA PALOMA IMAGINARIA

Peregrina paloma imaginaria
que enardeces los últimos amores;
alma de luz, de música y de flores,
peregrina paloma imaginaria.

Vuela sobre la roca solitaria
que baña el mar glacial de los dolores;
haya, a tu paso, un haz de resplandores
sobre la adusta roca solitaria.

Vuela sobre la roca solitaria,
peregrina paloma, ala de nieve
como divina hostia, ala tan leve

como un copo de nieve; ala divina,
copo de nieve, lirio, hostia, neblina,
peregrina paloma imaginaria.

LUSTRAL

Llamé una vez a la visión
y vino.
Y era pálida y triste, y sus pupilas
ardían como hogueras de martirios.
Y era su boca como una ave negra
de negras alas.
En sus largos rizos
había espinas. En su frente arrugas.
Tiritaba.
Y me dijo:
—¿Me amas aún?
Sobre sus negros labios
posé los labios míos;
en sus ojos de fuego hundí mis ojos
y acaricié la zarza de sus rizos.
Y uní mi pecho al suyo, y en su frente
apoyé mi cabeza.
Y sentí el frío
que me llegaba al corazón. Y el fuego
en los ojos.
Entonces
se emblanqueció mi vida como un lirio.

DARIO HERRERA

1869 - 1914

Panamá. Una vida errante permitió a Herrera difundir su obra en Cuba, México, República Argentina, Chile. Practicó tanto el verso como la prosa, y es autor de cuentos y de páginas periodísticas.

En el verso se distingue por el uso tripentálico, nombre que dio Pedro Antonio González al metro de quince sílabas, y por la sensibilidad francamente modernista que se advierte en la mayoría de sus composiciones.

DEL PASADO

I

Tarde. En el gris crepuscular del cielo
agonizaba el sol. Sobre las rojas
manchas de luz, la noche, entre congojas,
tendió su enorme, su enlutado velo.

En torno de los dos, con lento vuelo
giraba el cierzo, y al mover las hojas,
parecía rimar sobre las flojas
cuerdas de un arpa, músicas de duelo.

Solo estaba el jardín; y pensativa
a mi palabra se mostraba esquiva
en una obstinación de sus enojos;

cuando de pronto, llama vencedora,
su comprimido amor, como una aurora,
encendió la gran noche de sus ojos.

II

Llegaban hasta el pie de la ventana
las olas, en su canto de alegría;
el mar, espejeante, recogía
el luminoso fin de la mañana.

Ala nívea, una vela, en la lejana
curva del horizonte se perdía;
el sol, sobre las cosas, difundía
la savia de su vida meridiana.

Y mientras ella y yo, bajo la gloria
de la triunfante luz, con la memoria
íbamos evocando en el vacío

templo de nuestro amor dichas pasadas,
vimos surgir a un tiempo en las miradas
un pálido crepúsculo de hastío.

EL BUEY

¿Oh buey, te admiro! Un dulce sentimiento
de salud y de paz en mí derramas,
ya te mire del alba entre las gramas,
solemne cual un vivo monumento;

o cuando doblegándote contento,
secundas grave, bajo el sol de llamas,
los esfuerzos del hombre, y los proclamas
en tu mirar cansado y soñoliento.

De tu negra nariz humedecida
exhálase la esencia de tu vida
con tu mugir alegre y sonoroso;

y de tus ojos la dulzura austera
refleja, glauca, la feraz pradera
sumida de la tarde en el reposo!

AERE PERENNIUS

Sobre la onda azul, en donde ardía
la esencia tropical de la mañana,
la barca se alejó como extrahumana
quimera que a los cielos se volvía.

¡Y con ella te fuiste!... La armonía
de tu belleza mística y profana,
al irradiar su magia soberana,
divinizó la nave que partía.
Hoy, que evoco, ya lejos, tu figura,
la extraña dualidad de tu hermosura
en mi recuerdo la tristeza ahonda;

porque tiene tu forma anadiomena
la noble línea de la estatua helena
y el pensativo enigma de Gioconda.

VISIONARIA

La noche está vencida. Jovial y fresca aurora
su luminosa púrpura derrama en el jardín,
y entre las rosas vírgenes, la virgen soñadora
deshoja con sus labios el cáliz de un jazmín.

Clavadas las pupilas en algo dulce y vago
que flota de la niebla sobre el flotante tul,

no advierte cómo un lirio con voluptuoso halago,
se inclina y le acaricia su zapatito azul.

No advierte cómo Céfiro retózale en la falda,
y con su blando aliento, fragante de azahar,
le inciensa los cabellos, tendidos en la espalda
como cesárea clámide de brillo aurisolar.

De cuanto en torno vibra no hay nada que le arranque
del pensamiento el éxtasis, secreto, ensoñador...
ni el ritmo con que un cisne sobre el dormido estanque
se mece, como cándida y palpitante flor.

que su dominadora belleza realzarán
en el salón riente, donde a los raudos giros
del vals le diga amores un príncipe galán.

¿Qué sueña?... Los brocados, las perlas, los zafiros,
¿O ser allá en la escena la vencedora diva,
a cuyos pies desgranen aplausos en tropel?
¿O en solitaria selva la ninfa pensativa
que vague bajo cúpulas de mirto y de laurel?

¿O estar en la basílica, frente al altar radiante,
envuelta con las brumas del símbolo nupcial?
¿O en la sellada alcoba, donde el feliz amante
la inicie en el misterio del rito pasional?

¡Ah, no! La virgen mira flotar sobre la niebla
de un extranjero bardo la pálida visión,
que el alma, sensitiva y artística, le puebla
de sus extrañas rimas con el triunfante son!

DIEGO FERNANDEZ ESPIRO

1870 - 1912

República Argentina. Alentado personalmente por Rubén Darío durante la temporada que pasó éste en Buenos Aires, Fernández Espiro no es autor sólo modernista, y algunos de sus versos se alejan no poco de la sensibilidad auspiciada durante el Modernismo.

RESURGAM

No estoy vencido. Mi orgullosa frente
levanto de la vida en el combate
y altivo espero el enemigo embate
como el peñón la furia del torrente.

Mi espíritu genial temor no siente.
El golpe de la suerte no me abate.
Mi corazón en la esperanza late
de luchar y vencer mientras aliente.

El espacio es del águila altanera
que con alas azotando el viento
navega audaz en la azulada esfera.

También yo, cual el águila arrogante,
triunfador me alzaré —tengo su aliento—
"¡y a través de las tumbas, adelante!"

BOHEMIO

Nació para triunfar, y la victoria
desdeñó con estoica altanería.
Fue su existencia una ruidosa orgía,
y un largo sueño su perdida historia.

Nostálgico del arte y de la gloria,
cuyo sublime vértigo sentía,
deshojó con sarcástica alegría
el laurel prometido a su memoria.

Su noble corazón se hizo pedazos
al golpe rudo de su horrible suerte.
Y rotos ya los terrenales lazos

de su brillante juventud cansada,
hundiéndose en la noche de la muerte,
huyó del mundo y se perdió en la nada.

AMADO NERVO

1870 - 1919

México. De obra lírica muy abundante, no es raro que en la de Nervo no todo sea modernista. No lo es nada, por ejemplo, en los versos que escribió para recordar a la amada muerta, donde además contó algunas de las muchas experiencias y aventuras en que se vio comprometido para mantener contacto con ella. En la bohemia parisiense de los primeros años del siglo XX, Nervo no fue sólo amigo fiel y entrañable de Darío sino que le secundó en sus campañas literarias, como la edición de *Mundial Magazine*.

AUTOBIOGRAFIA

¿Versos autiobiográficos? Ahí están mis canciones,
allí están mis poemas: yo, como las naciones
venturosas, y, a ejemplo de la mujer honrada,
no tengo historia: nunca me ha sucedido nada,
¡oh, noble amiga ignota!, que pudiera contarte.

Allá en mis años mozos, adiviné del Arte
la armonía y el ritmo, caros al Musageta,
y, pudiendo ser rico, preferí ser poeta.

—¿Y después?
—He sufrido como todos y he amado.
—¿Mucho?
—Lo suficiente para ser perdonado . . .

LA NUBE

¡Qué de cuentos de hadas saldrían de esa nube
crepuscular, abismo celeste de colores!
¡Cuánta vela de barco, cuánta faz de querube,
cuánto fénix incólume, que entre las llamas sube,
cuánto dragón absurdo, cuántas divinas flores!

¡Cuánto plumón de cisne, cuánto sutil encaje,
cuánto pavón soberbio, de colas prodigiosas,
cuánto abanico espléndido, con áureo varillaje,
cuánto nimbo de virgen, cuánto imperial ropaje,
cuántas piedras preciosas!

Mas ella no lo sabe, y ensaya vestiduras
de luz y vierte pródiga sus oros y sus cobres,
para que la contemplen tan sólo tres criaturas:
¡un asno pensativo lleno de mataduras,
y dos poetas líricos, muy flacos y muy pobres!

EL RETORNO

Vuelvo, pálida novia, que solías
mi retorno esperar tan de mañana,
con la misma canción que preferías
y la misma ternura de otros días
y el mismo amor de siempre, a tu ventana.

Y elijo para verte, en delicada
complicidad con la naturaleza,
una tarde como ésta, desmayada
en un lecho de lilas e impregnada
de cierta aristocrática tristeza.

Vuelvo a tí con mis dedos enlazados
en actitud de súplica y anhelo,
como siempre, y mis labios, no cansados

de alabarte y mis ojos obstinados
en ver los tuyos a través del cielo!

Recíbeme tranquila, sin encono,
mostrando el dejo suave de una hermana;
murmura un apacible: "Te perdono",
y déjame dormir con abandono
en tu noble regazo hasta mañana...

MI VERSO

Querría que mi verso, de guijarro,
en gema se trocase y en joyero;
que fuera entre mis manos como el barro
en la mano genial del alfarero.

Que lo mismo que el barro, que a los fines
del artífice pliega sus arcillas,
fuese cáliz de amor en los festines
y lámpara de aceite en las capillas;

que, dócil a mi afán, tomase todas
las formas que mi numen ha soñado,
siendo alianza en el rito de las bodas,
pastoral en el índex del prelado;

lima noble que un grillo desmorona
o eslabón que remata una cadena,
crucifijo papal que nos perdona
o gran timbre de rey que nos condena;

que fingiese a mi antojo, con sus claras
facetas en que tiemblan los destellos,
florones para todas las tïaras
y broches para todos los cabellos;

emblemas para todos los amores,
espejos para todos los encantos
y coronas de astrales resplandores
para todos los genios y los santos.

Yo trabajo, mi fe no se mitiga,
y, troquelando estrofas con mi sello,
un verso acuñaré del que se diga:
Tu verso es como el oro sin la liga:
radiante, dúctil, polimorfo y bello.

VIEJA LLAVE

Esta llave cincelada
que en un tiempo fue, colgada
(del estrado a la cancela,
de la despensa al granero)
del llavero de la abuela,
y en continuo repicar
inundaba de rumores
los vetustos corredores:
esta llave cincelada,
si no cierra ni abre nada,
¿para qué la he de guardar?

Ya no existe el gran ropero,
la gran arca se vendió:
sólo en un baúl de cuero,
desprendida del llavero,
esta llave se quedó.

Herrumbrosa, orinecida,
como el metal de mi vida,
como el hierro de mi fe,
como mi querer de acero,
esta llave sin llavero
¡nada es ya de lo que fue!

Me parece un amuleto
sin virtud y sin respeto;
nada abre, no resuena . . .
¡me parece un alma en pena!

Pobre llave sin fortuna
. . . y sin dientes, como una
vieja boca: si en mi hogar
ya no cierras ni abres nada,
pobre llave desdentada,
¿para qué te he de guardar?

Sin embargo, tú sabías
de las glorias de otros días:
del mantón de seda fina
que nos trajo de la China
la gallarda, la ligera
española nao fiera.
Tú sabías de tibores
donde pájaros y flores
confundían sus colores;
tú, de lacas, de marfiles
y de perfumes sutiles
de otros tiempos, tu cautela
conservaba la canela,
el cacao, la vainilla,
la suave mantequilla,
los grandes quesos frescales
y la miel de los panales,
tentación del paladar;
mas si hoy, abandonada,
ya no cierras ni abres nada,
pobre llave desdentada,
¿para qué te he de guardar?

Tu torcida arquitectura
es la misma del portal

de mi antigua casa obscura
(que en un día de premura
fue preciso vender mal).

Es la misma de la ufana
y luminosa ventana
donde Inés, mi prima, y yo
nos dijimos tantas cosas
en las tardes misteriosas
del buen tiempo que pasó...

Me recuerdas mi morada,
me retratas mi solar:
mas si hoy, abandonada,
ya no cierras ni abres nada,
pobre llave desdentada,
¿para qué te he de guardar?

EXTASIS

Cada rosa gentil ayer nacida,
cada aurora que apunta entre sonrojos
dejan mi alma en el éxtasis sumida...
¡Nunca se cansan de mirar mis ojos
el perpetuo milagro de la vida!

Años ha que contemplo las estrellas
en las diáfanas noches españolas
y las encuentro cada vez más bellas.
¡Años ha que en el mar, conmigo a solas,
de las olas escucho las querellas,
y aún me pasma el prodigio de las olas!

Cada vez hallo la Naturaleza
más sobrenatural, más pura y santa.
Para mí, en rededor, todo es belleza;

y con la misma plenitud me encanta
la boca de la madre cuando reza
que la boca del niño cuando canta.

Quiero ser inmortal, con sed intensa,
porque es maravilloso el panorama
con que nos brinda la creación inmensa;
porque cada lucero me reclama,
diciéndome al brillar: "¡Aquí se piensa
también, aquí se lucha, aquí se ama!"

DIOS TE LIBRE, POETA

Dios te libre, poeta,
de verter en el cáliz de tu hermano
la más pequeña gota de amargura
Dios te libre, poeta,
de interceptar siquiera con tu mano
la luz que el sol regale a una criatura.

Dios te libre, poeta,
de escribir una estrofa que contriste;
de turbar con tu ceño
y tu lógica triste
la lógica divina de un ensueño;
de obstruir el sendero, la vereda
que recorra la más humilde planta;
de quebrantar la pobre hoja que rueda;
de entorpecer, ni con el más suave
de los pesos, el ímpetu de un ave
o de un bello ideal que se levanta.

Ten para todos júbilo, la santa
sonrisa acogedora que lo aprueba;
pon una nota nueva

en toda voz que canta
y resta, por lo menos,
un mínimo aguijón a cada prueba
que torture a los malos y a los buenos.

VIEJO ESTRIBILLO

¿Quién es esa sirena de la voz tan doliente,
de las carnes tan blancas, de la trenza tan bruna?
—Es un rayo de luna que se baña en la fuente,
es un rayo de luna...

¿Quién gritando mi nombre la morada recorre?
¿Quién me llama en las noches con tan trémulo acento?
—Es un soplo de viento que solloza en la torre,
es un soplo de viento...

¿Di, quién eres, arcángel, cuyas alas se abrasan
en el fuego divino de la tarde, y que subes
por la gloria del éter?
—Son las nubes que pasan;
mira bien, son las nubes...

¿Quién regó sus collares en el agua, Dios mío?
Lluvia son de diamantes en azul terciopelo.
—Es la imagen del cielo que palpita en el río,
es la imagen del cielo...

—¡Oh Señor! La belleza sólo es, pues, espejismo.
Nada más... Tú eres cierto, sé Tú mi último Dueño.
¿Dónde hallarte, en el éter, en la tierra, en mí mismo?
—Un poquito de ensueño te guiará en cada abismo,
un poquito de ensueño...

COBARDIA

Pasó con su madre. ¡Qué rara belleza!
¡Qué rubios cabellos de trigo garzul!
¡Qué ritmo en el paso! ¡Qué innata realeza
de porte! Qué formas bajo el fino tul...

Pasó con su madre. Volvió la cabeza:
¡me clavó huy hondo su mirada azul!

Quedé como en éxtasis...
Con febril premura
—¡Síguela! —gritaron cuerpo y alma al par.

...Pero tuve miedo de amar con locura,
de abrir mis heridas que suelen sangrar,
y, no obstante toda mi sed de ternura,
cerrando los ojos ¡la dejé pasar!

GRATIA PLENA

Todo en ella encantaba, todo en ella atraía:
su mirada, su gesto, su sonrisa, su andar...
El ingenio de Francia de su boca fluía.
Era llena de gracia, como el Avemaría;
¡quién la vio no la pudo ya jamás olvidar!

Ingenua como el agua, diáfana como el día,
rubia y nevada como Margarita sin par,
al influjo de su alma celeste, amanecía...
Era llena de gracia, como el Avemaría;
¡quién la vio no la pudo ya jamás olvidar!

Cierta dulce y amable dignidad la investía
de no sé qué prestigio lejano y singular.

Más que muchas princesas, princesa parecía:
era llena de gracia, como el Avemaría;
¡quién la vio no la pudo ya jamás olvidar!

Yo gocé el privilegio de encontrarla en mi vía
dolorosa: por ella tuvo fin mi anhelar,
y cadencias arcanas halló mi poesía.
Era llena de gracia, como el Avemaría;
¡quien la vio no la pudo ya jamás olvidar!

¡Cuánto, cuánto la quise! Por diez años fue mía;
pero flores tan bellas nunca pueden durar!
Era llena de gracia, como el Avemaría;
y a la Fuente de Gracia de donde procedía
se volvió... como gota que se vuelve a la mar!

EN PAZ

Muy cerca de mi ocaso, yo te bendigo, Vida,
porque nunca me diste ni esperanza fallida
ni trabajos injustos, ni pena inmerecida;
porque veo al final de mi rudo camino
que yo fui el arquitecto de mi propio destino;
que si extraje las mieles o la hiel de las cosas,
fue porque en ellas puse hiel o mieles sabrosas:
cuando planté rosales, coseché rosas.

Cierto, a mis lozanías va a seguir el invierno:
¡más tú no me dijiste que Mayo fuese eterno!
Hallé sin duda largas las noches de mis penas;
mas no me prometiste tú sólo noches buenas,
y en cambio tuve algunas santamente serenas...

Amé, fui amado, el sol acarició mi faz.
¡Vida, nada me debes! ¡Vida, estamos en paz!

ANDRES MATA

1870 - 1931

Venezuela. Una leyenda de bohemia gentil y risueña agrandó la órbita de la poesía de Mata en sus días, pero después de fallecido, aminorada la leyenda, queda en claro que fue poeta grato, algo superficial, excelente para las composiciones ocasionales en que se festeja a una dama; y que dentro de su obra, muy reducida por lo demás, hay composiciones totalmente modernistas.

ALMA Y PAISAJE

Debajo de los árboles. Ninguna
pena que inquiete el pensamiento mío.
Por cima de los árboles, la luna;
debajo de los árboles, el río.

Abro mi corazón . . . Leo y confío
en la gloria, en el bien, en la fortuna.
Habla de amor, al discurrir, el río;
habla de amor, al esplender, la luna.

Quietud y soledad . . . Nada importuna
la comunión del pensamiento mío
con el bien y la gloria y la fortuna . . .
Bajo el ramaje trémulo y sombrío
sueña un hilo de oro de la luna
sobre el silencio diáfano del río.

CABO HATTERAS

Música y besos, corazón desnudo,
los brazos míos en los suyos presos,
divino ensueño, generoso escudo...
¡Música y besos!

Luego la duda y el amargo lloro
en el instante de la despedida:
toda una vida atrás, todo un tesoro...
¡Toda una vida!

La noche ahora sobre mar de tinta,
tormenta ruda tras mentida calma,
cielo sin astros y la nube encinta...
¡Frío en el alma!

Ni amigos vientos ni benignas olas
mi nave guían sobre el loco abismo,
¡y tengo miedo de quedarme a solas
conmigo mismo!

EL BESO DE LA TARDE

Eres ambigua como el mar. Sencilla
y compleja a la vez como la ola
que el beso de la tarde tornasola
sobre los peñascales de la orilla.

Bajo el rojo dosel de tu sombrilla
miras desde el peñón, inquieta y sola,
cómo la tarde sobre el mar se inmola
y cómo el mar ante tus pies se humilla.

Agrupada la gente de la aldea
tus extraños caprichos curiosea
y de tu ingenuidad se maravilla.

Yo estoy cerca de ti, bajo las palmas,
y sueño que se besan nuestras almas
bajo el rojo dosel de tu sombrilla.

EL BAÑO

Rodó a sus pies el bañador bermejo,
y de su núbil cuerpo la hermosura
reflejó con recíproca ternura
el cristal insinuante del espejo.

Un bienestar recóndito y complejo
arreboló su explícita blancura,
y del vino propicio a la locura
sintió en los labios el sabor añejo.

Al acercarse, sonreída, al baño,
estremeció sus carnes un extraño
despertar de enigmáticas delicias.

Y sacramente, en actitud gloriosa,
bañó su intacta desnudez de diosa
en un presentimiento de caricias.

MUSICA TRISTE

¿Un amor que se va? . . . ¡Cuántos se han ido!
Otro amor volverá más duradero
y menos doloroso que el olvido.

El alma es como pájaro inseñero
que roto el nido en el ruinoso alero,
en otro alero reconstruye el nido.

Puede el último amor ser el primero.
Mientras más torturado y abatido
el corazón del hombre es más sincero.

Tras de cada nublado hay un lucero,
y por ruda tormenta sacudido
florece hasta morir el limonero.

¿Un amor que se va?... ¡Cuántos se han ido!
¡Puede el último amor ser el primero!

ABELARDO VARELA

1871 - 1903

Chile. Traductor de Verlaine, de Rollinat y de otros poetas franceses, con ellos quiso difundir en su país el concepto de que había en marcha, en esos días, una novedad literaria que era preciso estudiar. Por desgracias íntimas se suicidó en plena juventud, y su obra lírica se quedó sin recoger. Estas circunstancias han mantenido su nombre en la penumbra durante muchos años, penumbra de la cual apenas comienza a rescatársele.

LA NOVIA

Dentro de un blanco féretro tendida,
la frente coronada de azahares,
hermosa, pura, libre de pesares,
parece que tan sólo está dormida.

Verla es, aún, encadenar la vida;
dentro del pecho levantarle altares;
soñar con ella, y dilatados mares
hender de una ventura no extinguida.

Cuando en la copa del licor preciado
que el misterio del bien y el mal encierra,
iba su alma a calmar vagos anhelos,

cual rico aroma de un cristal guardado
que triza el aire, sin tocar la tierra
se elevó, blanca nube, hacia los cielos.

ENTRE LAS RAMAS

Entre las ramas
de las lilas y lauros floridos,
por vez primera
me sonrieron las glorias triunfales
de sus ojos —azules abismos.

Entre las ramas
de las lilas y lauros floridos,
leí el poema
de marmóreas y tiernas estrofas
de su cuerpo —una tarde de estío.

Entre las ramas
de las lilas y lauros floridos,
sus brunas trenzas
a mi cuello arrolladas cual sierpes,
extenuados de amor nos dormimos.

Entre las ramas
de las lilas y lauros floridos,
una cabeza
bicornuda, riendo asomóse:
¡la de un fauno, tal vez, o un marido! . . .

INVIERNO

Il pleure dans mon coeur
Comme il pleut sur la ville . . .
VERLAINE

Cuando cae la lluvia
incesante y monótona
en la desierta calle
amortajada en sombras;

cuando la agita el viento
y en el cristal redobla
como medroso anuncio
de una visita incógnita;

en el fondo del alma,
sepulcro en que reposan,
suelen de nuevo alzarse
quimeras ya sin forma.

Suspira el alma entonces,
y algunas veces llora,
al contemplar la eterna
tristeza de las cosas.

Y abstraída la mente,
y en su tortura absorta,
las horas van pasando
lentas y melancólicas,

mientras cae la lluvia
incesante y monótona
en la desierta calle
amortajada en sombras . . .

JOSE JUAN TABLADA

1871 - 1945

México. El exotismo del paisaje en su aspecto nipón fue la especialidad de este excelente poeta. A él se debe la introducción del *hai-kai* en las letras españolas. En sus otras empresas se le ve siempre inspirado, elegante de forma, con agradable música en el verso.

COMEDIETA

En un parque de Watteau
que llena de rosas junio
y que un claro plenilunio
con su luz opalizó,

cambiando el esplín en farsa
y a la luna por el sol,
está toda la comparsa
pintoresca de Guiñol.

Pulcinela, del jardín
junto a la fuente irisada,
ve brotar una cascada
por la boca de un delfín.

A solas Casandra induce
—lógica de su botella—
que se derrumba una estrella
si una luciérnaga luce.

Pierrot su laúd afina...
Se oye un "muera" a la virtud
y, coqueta, Colombina
planta un beso al del laúd.

¡Qué linda la pastoral!
¡qué perfumada la brisa!
¡cuánta broma, cuánta risa,
cuánto suave madrigal!

Mas de pronto, en la espesura,
la comparsa oye asombrada
un sollozo de amargura
después de una carcajada...

Y corren hacia el confín,
tras de Casandra que vuela,
con su giba Pulcinela,
con su máscara Arlequín.

Llegan y ven... bajo el rayo
de la luna a Colombina
y a Pierrot que con desmayo
y angustia a sus pies se inclina.

Ella va a hablar y él la calla
suplicándole el secreto,
mas ella, que al fin estalla,
dice al auditorio inquieto:

—¿Queréis que el misterio os diga?
¡Vamos, si es una tontuna!
Pierrot, siempre sin fortuna,
quiere ahorcarse con mi liga
en un rayo de la luna!

NOCTURNO DE INVIERNO

Mi inconsolable soledad se asombra,
pues no sé, en la ansiedad con que deliro,
si no te puedo ver por tanta sombra
o si es de noche porque no te miro...

¡Pues siempre que tú llegas, la tiniebla
disipas, y a tu voz y a tu mirada
el silencio de músicas se puebla,
y cae sobre la noche la alborada!

Pasas, y al agitarse tu vestido
entre rumores y fragancia, exhalas
tibios aromas de jardín florido,
brisas que soplan invisibles alas...

Y tu voz impregnada de misterio
evoca con sus cálidos murmullos
musicales sollozos de salterio,
gargantas de torcaz llenas de arrullos,

fugitivo gemir de una fontana
que detenerse en su correr quisiera
en un remanso, al pie de una ventana
adonde sufre un alma prisionera...

Así es tu voz, que trémula y vibrante
prolonga la tristeza que me inspira,
y por mística y dulce es la distante
campana donde un Angelus suspira...

O bien, cuando la anima la alegría,
tu boca en flor convierte en un tesoro
y sus palabras cambia en pedrería
la Sultana locuaz Boca-de-Oro.

¡Surge en la noche mi Scheherezada,
y ante el milagro que su voz destella,
parece que en la bóveda estrellada
cada palabra suya es una estrella!

¡Y cuando al fin suspiras y te miro
suspensa en lo infinito de tu duelo,
pasa sobre mi alma tu suspiro
como una estrella errante por el cielo!

EL GALLO HABANERO

En el matinal gallinero
con rendimiento caballero,
en torno de su hembra enreda
el arabesco de su rueda
sin cesar el gallo habanero.

Cual blanco albornoz el plumón
envuelve en fiero ademán.
Por su cresta-fez bermellón
y el alfanje de su espolón,
el gallo es un breve sultán.

Junto a la gallina coqueta
de pronto su blanca silueta
fija en soberbia rigidez,
como el gallo de la veleta
o el caballo del ajedrez.

Echado atrás el cuello empina
y en enfático frenesí
rasga la matinal neblina,
sobre el jardín que se ilumina
con su agudo kikirikí!

SONETO WATTEAU

Manón, la de ebúrnea frente,
la de cabello empolvado
y vestidura crujiente:
¡tus ojos me han cautivado!

Eco de mi amor ardiente,
el clavicordio ha cantado
la serenata doliente
y el rondel enamorado...

¡Ven! El amor que aletea
lanza su flecha dorada
y en el mar, que azul ondea,

surge ya la empavesada
galera flordelisada
que conduce a Citerea.

JAPON

¡Aureo espejismo, sueño de opio,
fuente de líricos ideales,
jardín que un raro kaleidoscopio
borda en mi mente con sus cristales!

Tus teogonías me han exaltado
y amo ferviente tus glorias todas;
yo soy el siervo de tu Mikado,
yo soy el bonzo de tus pagodas.

Por ti mi dicha renace ahora
y en mí tu genio su arte derrama
como sus rayos vierte la aurora
sobre la nieve del Fusiyama.

La prez de doble lauro conquistas
en arte y largos combates fieros,
pero la fama de tus artistas
nubla la gloria de tus guerreros.

Cuando esa doble gloria destella,
corre en las venas mi sangre ardiente,
íntimo canto de tu epopeya,
oh magno imperio del Sol Naciente.

En tu arte mágico —raro edificio—
viven los monstruos, arden las flores;
es el poema del artificio
en la sonata de los colores.

Rían los blancos con risa vana,
que tú contemplas indiferente
desde los cielos de tu nirvana
a las naciones del occidente.

Distingue el alma cuando en ti sueña
cuadro sombrío y aterrador,
la sombra inmóvil de una cigüeña
sobre un sepulcro de emperador;

templos grandiosos y seculares,
y en tu pesado silencio ignoto
Budas que duermen en los altares
sobre doradas flores de loto.

De tus princesas y tus señores
pasa el cortejo dorado y rico,
y en ese canto de mil colores
es una estrofa cada abanico.

Se van abriendo, si reverbera
el sol y lanza sus tibias olas,

los parasoles cual primavera
de crisantemos y de amapolas.

Amo tus ríos y tus lagunas,
tus ciervos blancos y tus faisanes
y el ampo triste con que tus lunas
bañan la nieve de tus volcanes.

Amo tu extraña mitología,
los raros monstruos, las claras flores
que hay en tus biombos de seda umbría
y en el esmalte de tus tibores.

¡Japón, tus ritos me han exaltado
y amo ferviente tus glorias todas:
yo soy el sirvo de tu Mikado,
yo soy el bonzo de tus pagodas!

Tu genio exalta, timbra y decora
desde las nubes hasta la grama,
y en tus banderas rompe la aurora,
símbolo justo del sol que dora
la blanca nieve del Fusiyama!

ENRIQUE GONZALEZ MARTINEZ

1871 - 1952

México. Es verdad que escribió el famoso soneto sobre el buho, que contribuyó a reducir la vida del Modernismo, pero dentro de este movimiento se le deben contribuciones de enorme valor. Poeta serio, hondo, a veces trascendental, en resumen es poco modernista, pero la excelsa calidad de su obra lírica impide omitir su nombre en un arqueo de la poesía hispanoamericana.

TUERCELE EL CUELLO AL CISNE...

Tuércele el cuello al cisne de engañoso plumaje
que da su nota blanca al azul de la fuente;
él pasea su gracia no más, pero no siente
el alma de las cosas ni la voz del paisaje.

Huye de toda forma y de todo lenguaje
que no vayan acordes con el ritmo latente
de la vida profunda... y adora intensamente
la vida, y que la vida comprenda tu homenaje.

Mira el sapiente buho cómo tiende las alas
desde el Olimpo, deja el regazo de Palas
y posa en aquél árbol el vuelo taciturno...

El no tiene la gracia del cisne, mas su inquieta
pupila que se clava en la sombra, interpreta
el misterioso libro del silencio nocturno.

COMO HERMANA Y HERMANO

Como hermana y hermano
vamos los dos cogidos de la mano...

En la quietud de la pradera hay una
blanca y radiosa claridad de luna,
y el paisaje nocturno es tan risueño
que con ser realidad parece sueño.
De pronto, en un recodo del camino,
oímos un cantar... Parece el trino
de un ave nunca oída,
un canto de otro mundo y de otra vida...
¿Oyes? —me dices— y a mi rostro juntas
tus pupilas preñadas de preguntas.
La dulce calma de la noche es tanta
que se escuchan latir los corazones.
Yo te digo: no temas, hay canciones
que no sabremos nunca quién las canta...

Como hermana y hermano
vamos los dos cogidos de la mano...

Besado por el soplo de la brisa,
el estanque cercano se divisa...
Bañándose en las ondas hay un astro;
un cisne alarga el cuello lentamente
como blanca serpiente
que saliera de un huevo de alabastro...
Mientras miras el agua silenciosa,
como un vuelo fugaz de mariposa
sientes sobre la nuca el cosquilleo,
la pasajera onda de un deseo,
el espasmo sutil, el calofrío
de un beso ardiente cual si fuera mío...
Alzas a mí tu rostro amedrentado
y trémula murmuras: ¿me has besado?...

Tu breve mano oprime
mi mano: y yo a tu oído: ¿Sabes? esos
besos nunca sabrás quién los imprime . . .
Acaso, ni siquiera si son besos . . .

Como hermana y hermano
vamos los dos cogidos de la mano . . .

En un desfalleciente desvarío,
tu rostro apoyas en el pecho mío,
y sientes resbalar sobre tu frente
una lágrima ardiente . . .
Me clavas tus pupilas soñadoras
y tiernamente me preguntas: ¿lloras?
Secos están mis ojos . . . Hasta el fondo
puedes mirar en ellos . . . Pero advierte
que hay lágrimas nocturnas —te respondo—
que no sabremos nunca quién las vierte . . .

Como hermana y hermano
vamos los dos cogidos de la mano . . .

LA CANCION DE LAS SIRENAS

El golfo estaba quieto . . . Sobre cubierta, a solas
me invadía la calma solemne de las olas.

Me asaltaba el delirio de la leyenda . . . Apenas
distante de mis ojos, un grupo de sirenas

surgió súbitamente . . . Una cercana roca
lo sustentaba en lecho de musgos . . . En mi boca

enmudeció el asombro . . . Sobre las verdes lamas
vi plateadas colas de pulidas escamas;

y miré claros iris color de alga marina,
y gotas rutilantes sobre la blanca y fina

piel de desnudos torsos... Un divino temblor
agitaba mis miembros, y miré en derredor

como buscando ayuda... Mas no con manos cautas
rellené mis orejas como los viejos nautas,

ni en extraño consorcio de temor y deseo
usé de los ardides del prudente Odiseo.

Iba a oír el divino canto de seducción...
Las sirenas cantaban... Y escuché la canción.

Del apacible golfo las vastas soledades
resonaron al canto de las yertas edades...

Y oí... ¡Los mismos temas... la canción conocida,
cosas muy viejas, cosas del amor y la vida!

RIE...

Suelta, divina rubia, la cascada
de tu risa de oro.
Brille el ígneo rubor de tus mejillas
y el destello satánico en tus ojos...

Mira, la espuma del champaña ríe,
y hasta el eco sonoro
de la lejana orquesta, en argentina
carcajada de amor, llega a nosotros.

Tú no sabes de lágrimas; si lloras,
sufre una extraña confusión tu rostro;
mezclas risas con llanto,
y tu boca se ríe de tus ojos.

Tu corazón es urna en que la suerte
guardó los goces del amor tan sólo;
nunca en tu planta se clavó el abrojo,
tu frente no conoce las espinas,

¡Bebe! . . . La copa de cristal espera
con el filtro espumoso . . .
¡Cuán alegre el reír de las burbujas
y qué mundo de dichas en el fondo!

¡Bebe! . . . ¡Y al roce de mis labios trémulos
sobre el cálido armiño de tus hombros,
brote, rubia gentil, tu carcajada
como lluvia de oro!

PAIS DE ENSUEÑO

El sueño era a tus ojos simbólico paisaje;
tu barca de oro y gules surcó el dormido lago,
y muy discreta aurora bañó con tinte vago
la pléyade de cisnes de nítido plumaje.

Ornaban nubecillas de cándidos crespones
las ondulantes curvas de las azules lomas,
y en el zafiro olímpico, bandadas de palomas
fingían con sus alas un vuelo de ilusiones.

El aura sus estrofas dejaba en tus oídos;
la luz, sobre tus crenchas, cambiantes y reflejos,
y el invisible bosque mandaba desde lejos
como rumor de frondas y preludiar de nidos.

Tu nave desfloraba las aguas silenciosas;
la estela era una cauda efímera de espuma,
y el inconsútil velo de la impalpable bruma
borraba los extraños perfiles de las cosas.

Y tú, desnuda y blanca... Sobre tus senos breves
erguían los pezones su pico sonrosado
como candentes ósculos del sol enamorado
sobre la inhiesta cumbre de las alpinas nieves.

Los cisnes misteriosos, ebúrneos y sedeños,
de cuellos enarcados, flotaban en las linfas,
y entre ellos, como diosa cercada de sus ninfas,
te alzabas en el triunfo glorioso de tus sueños.

Tú misma no sabías a dónde los antojos
del céfiro empujaba tu barca de oro y gules,
y en pájaros de armiño y en vértices azules
ibas posando el ávido anhelo de tus ojos.

....

¡Oh, nave, que no llegues jamás a la ribera!
¡Oh, transparente lago, ensancha tus espejos,
y siga entre las nubes de nácar, a lo lejos,
por vagos horizontes flotando la quimera!

Y tú, la que has cruzado por mares adormidos
y viajas por remotas, fantásticas regiones,
embriágate en los sueños hermosos y mentidos
en que hay rumor de frondas y preludiar de nidos
y pájaros que pasan en vuelos de ilusiones.

SILENTER

En mármoles pentélicos, en bloques de obsidiana
o en bronces de Corintio esculpe tu presea,
el orto de Afrodita, el triunfo de Frinea
o un lance cinegético de las ninfas de Diana.

No importa que ante el símbolo de tu visión pagana
se abata o regocije la turba que vocea;

dales forma a tus ansias, cristaliza tu idea
y aguarda altivamente una aurora lejana.

Que un sagrado silencio del bullicio te aparte;
enciérrate en los muros del recinto del arte
y tu idea repule titánico o pequeño;

sírvate la belleza de coraza y escudo,
y sordo ante el aplauso y ante la feba mudo,
envuélvete en la nube prestigiosa del sueño.

EL EXTASIS DEL SILENCIO

Del viejo parque en el rincón lejano
hecho para el amor, tibio y discreto,
aspiraba el secreto
de la muda caricia de tu mano.
Todo callaba en torno. Solamente
en alas del ambiente
un concierto de aromas ascendía
alrededor de tu alma y de la mía...
Callaban brisas, pájaros y fuente.

Y no fueron entonces ni tus ojos
entornados de dicha, ni los rojos
claveles de tus labios en que abreva
mi inacabable sed que se renueva
a cada beso tuyo;
no tus senos en flor, no los hechizos
de la rubia cascada de tus rizos;
no tu carne gentil de adolescente
ni el rosa nacarado de tu frente,
la causa de aquel éxtasis profundo.
Fue tu silencio solo, compañero
de mi muda tristeza, mensajero
de una vaga ascensión fuera del mundo...

Yo te invité a callar, con la mirada
suplicante de amor. Trémula, nada
me respondiste, y con el santo miedo
de romper el encanto,
sobre tus labios colocaste un dedo...
La noche vino, desplegó su manto;
una calma triunfal, un gran reposo
cruzó por el recinto misterioso...
¡Y no has sido jamás como aquel día
tan mía, tan intensamente mía!

EL BOSQUE MUDO

Este bosque solemne da consejos
para vivir: es mudo, fuerte, grave.
Ni un frívolo rumor cruza la nave
de pinos altos y de troncos viejos.

Un sol crepuscular pone reflejos
de un verde misterioso; brisa suave
mece una nube cual si fuera un ave,
y hay un temblor de estrellas a lo lejos.

Precisa ley y máxima segura:
altiva paz que nunca se apresura
y a trechos marca perdurable huella;

quietud fecunda que contempla arriba
el sueño de una nube fugitiva
y la misericordia de una estrella.

INTUS

Te engañas, no has vivido... No basta que tus ojos
se abran como dos fuentes de piedad, que tus manos
se posen sobre todos los colores humanos
ni que tus plantas crucen por todos los abrojos.

Te engañas, no has vivido mientras tu paso incierto
surque las lobregueces de tu interior a tientas;
mientras, en un impulso de sembrador, no sientas
fecundo tu espíritu, florecido tu huerto.

Hay que labrar tu campo, divinizar la vida,
tener con mano firme la lámpara encendida
sobre la eterna sombra, sobre el eterno abismo...

Y callar, mas tan hondo, con tan profunda calma,
que absorto en la infinita soledad de ti mismo,
no escuches sino el vasto silencio de tu alma.

COMO LA BARCA ES MIA

Como la barca es mía, como navego solo,
frívolamente vago donde el azar me inclina,
lo mismo entre los rudos tifones de la China
que entre las moles álguidas del congelado polo.

Arrojo el ancla a veces, y mi pendón tremolo
albo como el plumaje de algún ave marina;
me halagan las sirenas con su canción divina,
Neptuno me adormece y me acaricia Eolo.

Tú que a lo lejos miras pasar mi carabela
y que de pie en la proa me ves que a toda vela
a cielo y mares lanzo mi loco desafío,

no mi bajel detengas. Tu timidez en vano
iza el pañuelo al viento con temblorosa mano...
Yo gusto de ir a solas y mi velero es mío.

PALIDA

Tu palidez marmórea y enfermiza
es el mágico filtro que enamora;

¡y esa sensualidad que te devora,
y esa sed de pasión que te electriza!

Como el ave que, muerta, en su ceniza
se levanta de nuevo triunfadora,
tal surge la pasión abrasadora
de tu figura blanca y enfermiza.

En tu cuerpo de Venus demacrada
se esconde una vestal aprisionada
que el sacro fuego del placer atiza.

Para la prosa de la vida, muerta,
sólo para el amor está despierta
tu palidez marmórea y enfermiza.

¿TE ACUERDAS DE LA TARDE?

¿Te acuerdas de la tarde en que vieron mis ojos
de la vida profunda el alma de cristal?
Yo amaba solamente los crepúsculos rojos,
las nubes y los campos, la ribera y el mar . . .

Mis ojos eran hechos para formas sensibles;
me embriagaba la línea, adoraba el color;
apartaba mi espíritu de sueños imposibles;
desdeñaba las sombras enemigas del sol.

Del jardín me atraía el jazmín y la rosa
(la sangre de la rosa, la nieve del jazmín),
sin saber que a mi lado pasaba temblorosa
hablándome en secreto el alma del jardín.

Halagaban mi oído las voces de las naves,
la balada del viento, el canto del pastor,
y yo formaba coro con las notas süaves,
y enmudecían ellas, y enmudecía yo . . .

Jamás seguir lograba el fugitivo rastro
de lo que ya no existe, de lo que ya se fue...
Al fenecer la nota, al apagarse el astro,
¡oh sombras, oh silencio, dormitabais también!

¿Te acuerdas de la tarde en que vieron mis ojos
de la vida profunda el alma de cristal?
Yo amaba solamente los crepúsculos rojos,
las nubes y los campos, la ribera y el mar...

Y TU PORQUE ERAS BLANCA

Y tú porque eras blancas, y tú porque tenías
los labios incitantes como fresas maduras,
tú, Lydia, por tus ojos de pestañas obscuras,
y tú por tus ingenuas y francas alegrías.

Porque eras triste, Laura; Olga, porque sabías
endulzar con un canto todas las amarguras,
y tú por el delito de tus manos impuras,
Ninón, por docta en besos y por sabia en orgías...

A todas os recuerdo mezcladas con aromas
que guarda un mismo vaso, y un tiempo fuisteis pomas
en donde hincaba el diente de mi goloso empeño.

Ya supe que a despecho de mi fervor pagano,
erais la forma frágil de un ímpetu lejano,
y lo que amé en vosotras... era mi propio sueño.

EL FORASTERO

Este otoño de grises cabellos,
de miradas hondas y de faz tranquila,
se llegó tan despacio a mi vera,
que no me di cuenta de que ya venía

con la frente preñada de ensueños,
con aquella su vaga sonrisa
llena de añoranzas
y melancolías.

Yo charlaba con la primavera,
con la primavera de boca encendida,
la que sabe a panales hibleos,
a aromas de nardo y a mieles de guindas.
Tal vez de mi lado se alejó en silencio,
se alejó en silencio mientras que dormía.
Cuando abrí los ojos,
era ya partida.

Desde entonces, aquel forastero
de miradas hondas, me hace compañía.
¡Y qué viejas historias me cuenta,
olvidadas de puro sabidas!
¡Cómo sabe endulzar el relato
con néctares suaves de melancolías,
y qué paz austera
hay en sus pupilas!

Cómo me habla de cosas pequeñas,
de seres humildes que encontré en la vida,
de anhelos informes que no alcancé nunca,
de amores difuntos, de penas exiguas;
cómo va tendiendo sobre lo pasado
su misericordia como una caricia,
¡cuántas cosas sabe
que yo no sabía!

Qué bien que me trae del camino largo
los fugaces besos, las cosas perdidas,
los afanes rotos y la paz aquella
que me deja el alma sosegada y limpia.

Cómo lleva las manos cargadas
de mansos perdones para las insidias,
y de añejos odios
¡cómo están vacías!

Buen otoño de grises cabellos,
de miradas hondas y de faz tranquila,
que tan paso llegaste a mi vera
que no me di cuenta de que ya venías;
no me dejes solo, tiende en mi pasado
tu misericordia como una caricia,
y pon en mi alma
tu sabiduría.

SONETO

La vida me la dio; la misma vida
me la arrancó... Bendigo aquella mano
propicia al don, y el insondable arcano
que me roba la dádiva ofrecida.

La vida me la dio... Llegó vestida
de azul de luna a mi cubil profano;
trocó en plegaria mi lamento humano
y en templo la humildad de mi guarida.

En el engaño de perenne aurora
y en plenitud de amor, sonó la hora
de volverla a su origen y a su esencia...

Trazó al huír un signo de futuro,
y peldaño a peldaño el pie seguro
la sigue por la escala de la ausencia.

FEDERICO UHRBACH

1873 - 1931

Cuba. Dotado de notables condiciones poéticas y habiéndose iniciado en el cultivo del verso en edad temprana, este poeta cubano se quedó sin dar todo lo que se esperaba de sus aptitudes, por haber pasado buena parte de su vida sin escribir. Su último libro de versos, *Resurrección,* es de 1916.

ERA EN LA SOLEDAD DEL CAMINO

Era en las soledades del camino,
y era en un claro fondo de la mañana,
yo, con mis sueños, al ensueño iba;
tú, con tu gracia virginal, pasabas.

Luminosa al pasar, como a una estrella
una bruma de oro te amparaba;
no sé si el resplandor de tu cabello
o el oro espiritual de mi esperanza.

Pasabas lenta, y se inició a mis ojos
de tu jubón en la batista blanca,
como en la magia de un milagro, una
resurrección de inmarcesibles alas.

Pasabas lenta, y de tus labios era
el vago rictus de celeste gracia
la ligadura persuasiva y honda
que mi doliente vida encadenaba.

Pasabas lenta, como pasan esas
meditaciones que no tienen causa,
dejando un rastro luminoso y tenue,
y una obsesión de indefinibles ansias.

De tu pupila en el esmalte, el claro
rayo de sol se espiritualizaba,
cual si llevases en su fondo el sueño
de una visión crepuscular lejana,

y frágil toda, y toda poderosa
como el amor y el llanto, semejabas
de mi camino en la derrota, el dulce
rayo de luna de las noches trágicas.

Maravillosa en la expresión del gesto,
amplios los hombros y la testa baja,
con la actitud heroica de una virgen
profundamente pasional y humana,

pasaste lenta y para siempre, y fuiste
la sola aparición que iluminara
la senda, que azarosa al alejarte
dejó tu fuga triste y desolada.

Peregrinando en busca del ensueño
te vi pasar y proseguí mi marcha,
llevando opreso tu fugaz encanto
como un temblor de fugitivas alas.

En mi perenne divagar estéril
triste recorro fúlgidas comarcas,
sin que jamás se muestre ante mi vista
de la quimera la celeste llama;

que el luminoso ensueño sólo brilla
como una estrellla en lo interior del alma,
o quedó en las revueltas del camino
en aquel claro fondo de la mañana...

GUILLERMO VALENCIA

1873 - 1943

Colombia. De obra voluntariamente reducida, Valencia es sin duda uno de los más elevados poetas colombianos, y por algunos aspectos de su obra es modernista.

Cultivó el hexámetro en *A Popayán* y fue exigente traductor de piezas extranjeras. El exotismo le llevó a escoger producciones líricas chinas.

Su poema *Anarkos,* muy extenso, ejerció influencia indisputable entre los poetas jóvenes de sus días.

Aún cuando vivió recogido, la mayor parte de sus años, en un altivo refugio solariego, a lo caballero feudal, accedió a intervenir en la política de su patria, lo que le permitió señalarse, además, como elegante orador parlamentario.

ANARKOS

(Fragmento)

¿Qué formidable vocerío
pasa volando por la azul esfera,
con el lejano murmurar de un río?
Es una turba de profetas. Vienen
al aire desplegando los pendones
color de cielo; sus cabezas tienen
profusas cabelleras de leones.
En sus labios marchitos se adivina
el himno, la oración y la blasfemia;
llama febril sus ojos ilumina
de sacros resplandores;

pálidos como el rostro de la anemia,
llegaron ya: son los conquistadores
del ideal: ¡dad paso a la bohemia!

Ebrios todos de un vino luminoso
que no beben los bárbaros, y envueltos
en andrajos, son almas de coloso,
que treparán a la impasible altura
donde afilan sus hojas los laureles
con que ciñes de olímpica verdura
en tu vasto proscenio
a los ungidos de tu crisma, ¡oh Genio!
Aquél muestra su aljaba
de combate, repleta de pinceles;
el otro vibra, como ruda clava,
un cuadrado martillo y dos cinceles;
se interrogan, se dicen sus proyectos
de obras que dejarán eternos rastros:
aunque sean insectos,
el mármol y el pincel los harán astros.

Un escultor ofrece
pulir la piedra como fino encaje
para velar un seno que florece
bajo la tenue morbidez del traje;
aquése de fosfórica pupila,
que las del gato iguala,
discurre solo en actitud tranquila
con el azul cuaderno bajo el ala;
y el bardo decadente,
el bardo mártir que suscita mofas,
levantará la frente,
alto nido de férvidas estrofas,
y de sus labios, que el reír no alegra,
brotará el pensamiento
como un águila negra,
con las alas enormes
desplegadas al viento,
para cantar la Venus victoriosa

cuya violenta juventud encarne
el espíritu alegre de la diosa
en las melancolías de la carne.

El músico, doblando la cabeza
sobre la débil caja
de su violín sonoro,
dice la voz que de los cielos baja
como un perfume del jardín de oro,
y agarrando del cuello enflaquecido
al tísico instrumento,
lo hace gritar con trágico alarido,
y con ahogados trémolos simula
el sollozo de un mártir que se queja
bajo el negro dogal que lo estrangula;
y sobre todos flota,
como un sueño de amor en noche larga,
la paz del arte que su duelo embota
y su llagado corazón embarga.

Desventurada tribu
de miserables, vuestro ensueño vano
vuela solo entre sombras, como vuelan
las grullas en las noches de verano.
En la lumbre asesina de los focos
que doran las soberbias capitales,
arderán vuestras frentes inmortales
y vuestras alas de zafir, ¡oh locos!

Sin pan, ni amor, ni gruta
donde dormir vuestras febriles horas,
sucumbís a la bárbara cadena,
sin más visión que la chafada ruta
que os empuja a los légamos del Sena...

¡Canes, minero, artistas,
el árido recinto que os encierra
consume vuestros míseros despojos,
y en el agrio Sahara de la tierra
sólo hallasteis el agua... de los ojos!

Huid como una banda tenebrosa
de pájaros nocturnos que entre ramas
hienden la oscuridad sin voz ni huella.
Morid: ¡para vosotros
no se despierta el día
ni se columpia en el cenit la estrella
que llamaron los hombre alegría!

EL TRIUNFO DE NERON

Al jonio carro uncidos con áspera cadena
los férvidos corceles presienten la fatiga,
y el ojo atento al brazo del coronado auriga,
escarban el estadio, sacuden la melena.

De las broncíneas trompas por la candente arena
la voz el viento expande, que la inquietud mitiga,
y con los ojos fijos en la imperial cuadriga,
el pueblo de la Loba los ámbitos atruena.

Sobre el marfil luciente de la carroza erguido,
Nerón la gloria ostenta de su oriental vestido.
Alzando el haz de bridas, con indignada mano

vibra la fusta. El grito de la victoria sube...
y entre el dorado cerco de polvorosa nube
se borra el grupo móvil en el confín lejano...

HAY UN INSTANTE...

Hay un instante del crepúsculo
en que las cosas brillan más,
fugaz momento palpitante
de una morosa intensidad.

Se aterciopelan los ramajes,
pulen las torres su perfil,

burila un ave su silueta
sobre el plafondo de zafir.

Muda la tarde, se concentra
para el olvido de la luz,
y la penetra un dón suave
de melancólica quietud.

Como si el orbe recogiera
todo su bien y su beldad,
toda su fe, toda su gracia,
contra la sombra que vendrá...

Mi ser florece en esa hora
de misterioso florecer;
llevo un crepúsculo en el alma,
de ensoñadora placidez;

en él revientan los renuevos
de la ilusión primaveral,
y en él me embriago con aromas
de algún jardín que hay *¡más allá!*

LEYENDO A SILVA

Vestía traje suelto de recamado viso
en voluptuosos pliegues de un color indeciso;
y en el diván tendida, de rojo terciopelo,
sus manos, como vivas parásitas de hielo,
sostenían un libro de corte fino y largo,
un libro de poemas delicioso y amargo.

De aquellos dedos pálidos la tibia yema blanda
rozaba tenuemente con el papel de Holanda
por cuyas blancas hojas vagaron los pinceles
de los más refinados discípulos de Apeles:
era un lindo manojo que en sus claros lucía
los sueños más audaces de la Crisografía:

sus cuerpos de serpiente dilatan las mayúsculas
que desde el ancho margen acechan las minúsculas,
o trazan por los bordes caminos plateados
los lentos caracoles, babosos y cansados.
Para el poema heroico se vía allí la espada
con un león por puño y contera labrada,
donde evocó las formas del ciclo legendario
con sus torres y grifos un pincel lapidario.

Allí la dama gótica de rectilínea cara
partida por las rejas de la viñeta rara;
allí las hadas tristes de la pasión excelsa:
la férvida Eloísa, la suspirada Elsa.

Allí los metros raros de musicales timbres;
ya móviles y largos como jugosos mimbres,
ya diáfanos, que visten la idea levemente
como las albas guijas de un río transparente;
allí la Vida llora y la Muerte sonríe
y el Tedio, como un ácido, corazones deslíe...

Allí, cual casto grupo de núbiles Citeres,
cruzaban en silencio figuras de mujeres
que vivieron sus vidas, invioladas y solas,
como la espuma virgen que circunda las olas:
la rusa de ojos cálidos y de bruno cabello
pasó con sus pinceles de marta y de camello;
la que robó al piano en las veladas frías
parejas voladoras de blancas armonías,
que fueron por los vientos perdiéndose una a una
mientras, envuelta en sombras, se atristaba la luna...

Aquésa, el pie desnudo, gira como una sombra
que sin hacer rüido pisara por la alfombra
de un templo... y como el ave que ciega el astro diurno
con miradas nictálopes ilumina el *Nocturno*
do al fatigaado beso de las vibrantes crines
un aire triste y vago preludian dos violines...

La luna, como un nimbo de Dios, desde el Oriente
dibuja sobre el llano la forma evanescente
de un lánguido mancebo que el tardo paso guía
como buscando un alma por la pampa vacía.
Busca a su hermana; un día la negra Segadora
—sobre la mies que el beso primaveral enflora—
abatiendo sus alas, sus alas de murciélago,
hirió a la virgen pálida sobre el dorado piélago,
que cayó como un trigo... Amiguitas llorosas
la vistieron de lirios, la ciñeron de rosas;
céfiro de las tumbas, un bardo israelita
le cantó cantos tristes de la raza maldita
a ella, que en su lecho de gasas y de blondas,
se asemejaba a Ofelia mecida por las ondas.
Por ella va buscando su hermano entre las brumas
de unas alitas rotas las desprendidas plumas,
y por ella... "Pasemos esta doliente hoja
que mi ser atormenta, que mi sueño acongoja",
dijo entre sí la dama del recamado viso
en voluptuosos pliegues de un color indeciso,
y prosiguió del libro las hojas volteando,
que ensalza en áureas rimas de son *calino* y blando
los perfumes de Oriente, los vívidos rubíes
y los joyeros mórbidos de sedas carmesíes.

Leyó versos que guardan como gastados ecos
de voces muertas; cantos a ramilletes secos
que hacen crujir, al tacto, cálices inodoros;
metros que reproducen los gemebundos coros
de las campanas que en el *Día de Difuntos*
despiertan con sus voces los muertos cejijuntos
lanzados en racimos entre las sepulturas
a beberse la sombra de sus noches oscuras...

...Y en el diván tendida, de rojo terciopelo,
sus manos, como vivas parásitas de hielo,
doblaron lentamente la página postrera
que, en gris, mostraba un cuervo sobre una calavera...

Y se quedó pensando, pensando en la amargura
que acendran muchas almas; pensando en la figura
del bardo, que en la calma de una noche sombría,
puso fin al poema de su melancolía;
exangüe como un mármol de la dorada Atenas,
¡unió la faz de un Numen dulcemente atediado
a la ideal belleza del estigmatizado!

Ambicionar las túnicas que modelaba Grecia,
y los desnudos senos de la gentil Lutecia;
pedir en copa de ónix el ático nepentes;
querer ceñir en lauros las pensativas frentes;
ansiar para los triunfos el hacha de un Arminio;
buscar para los goces el oro del triclinio;
amando los detalles, odiar el universo;
querer remos de águila y garras de leones
con que domar los vientos y herir los corazones;
para gustar lo exótico, que el ánimo idolatra,
esconder entre flores el áspid de Cleopatra;
seguir los ideales en pos de Don Quijote
que en el azul divaga de su rocín al trote;
esperar en la noche las trémulas escalas
que arrebatan ligeras a las etéreas salas;
oír los mudos ecos que pueblan los santuarios;
amar las hostias blancas, amar los incensarios
(poetas que diluyen en el espacio inmenso
sus ritmos perfumados en vagoroso incienso);
sentir en el espíritu brisas primaverales
ante los viejos monjes y los rojos misales;
tener la frente en llamas y los pies en el lodo;
querer sentirlo, verlo y adivinarlo todo:
eso fuiste, ¡oh poeta! Los labios de tu herida
blasfeman de los hombres, blasfeman de la vida,
modulan el gemido de las desesperanzas,
¡oh místico sediento que en el raudal te lanzas!

¡Oh Señor Jesucristo! Por tu herida del pecho,
¡perdónalo!, ¡perdónalo! ¡Desciende hasta su lecho

de piedra a despertarlo! Con tus manos divinas
enjuga de su sangre las ondas purpurinas...
Pensó mucho: sus páginas suelen robar la calma;
sintió mucho: sus versos saben partir el alma;
¡amó mucho! Circulan ráfagas de misterio
entre los negros pinos del blanco cementerio.

No manchará su lápida epitafio doliente:
tallad un verso en ella, pagano y decadente,
digno del fresco Adonis en muerte de Afrodita:
un verso como el hálito de una rosa marchita,
que llore su caída, que cante su belleza,
que cifre sus ensueños, ¡que diga su tristeza!

¡Amor!, dice la dama del recamado viso
en voluptuosos pliegues de color indeciso;
¡Dolor!, dijo el poeta: los labios de su herida
blasfeman de los hombres, blasfeman de la vida,
modulan el gemido de la desesperanza;
¡fue el místico sediento que en el raudal se lanza!
Su muerte fue la muerte de una lánguida anémona;
se evaporó su vida como la de Desdémona;
ebrio del vino amargo con que el dolor embriaga
y a los fulgores trémulos de un cirio que se apaga...
¡Así rindió su aliento bajo un sitial de seda,
el último nacido del viejo Cisne y Leda!

NIHIL

Es ésta la doliente y escuálida figura
de un ser que hizo en treinta años mayores desatinos
que el mismo don Alonso Quijano, sin molinos
de viento, ni batanes, ni bachiller, ni cura.

Que por huír del vulgo, corrió tras la aventura
del ideal, y avaro lector de pergaminos,
dedujo de lo estéril de todos los destinos
humanos, el horóscopo de su mala ventura.

Mezclando con sus sueños el rey de los metales,
halló combinaciones tristes, originales
—inútiles al sino del alma desolada—,

nauta de todo cielo, buzo de todo oceano,
como el fakir idiota de un oriente lejano,
sólo repite ahora una palabra: ¡Nada!

LEON A. SOTO

1874 - 1902

Panamá. Bohemio que cuidó muy poco de su producción, hasta el extremo de haberla dejado desperdigada en periódicos de toda índole, Soto es uno de los mejores sonetistas de su país. La publicación póstuma de sus versos en el volumen titulado *Eclécticas* (1905) fijó de una vez para siempre la imagen lírica de este poeta.

A LA VENUS DE MILO

Oh, diosa de los áticos perfiles!
Oh, diosa de las curvas sosegadas!
quiero bajo las jónicas arcadas
cantarte el canto de los veinte abriles.

Dame la frialdad de los buriles
que idearon tus formas delicadas,
para, huyendo del mundo las miradas,
del Himeto vagar por los pensiles.

Yo te amo más que a la de carne tibia,
deidad que se resiste en su lascivia
a nuestro amor, trocándolo en martirio,

pues, si no puedes darme tus abrazos,
tampoco tienes importunos brazos
que me impidan te abrace hasta el delirio!...

MATUTINA

Sobre el vasto confín que ilumina
con su gloria la diosa mañana,
entre raros encajes de grana
muestra el Arte su frente divina.

Sopla el viento. Las flores inclina
a su paso y las perlas desgrana,
con que Aurora gentil, engalana
soto, prado, llanura y colina.

Como ronda de alados rondeles,
del panal de riquísimas mieles
vuela alegre el enjambre de avispas.

Y en el suelo empedrado de chispas
de su andar van las glorias dejando
los caballos del sol, galopando...

LEOPOLDO LUGONES

1874 - 1938

República Argentina. Cuando Rubén Darío le conoció en Buenos Aires, Lugones, mozo de veinte años, era socialista y voceaba todos los extremismos propios de su edad. Pasó después a ser predicador de ideas abiertamente antidemocráticas, con lo cual se enajenó las simpatías de la juventud que fue contemporánea de su etapa madura.

Su obra literaria, tan fecunda en la prosa como en el verso, queda, sin embargo, más allá de las discusiones políticas. Hay en ella arrebatado lirismo, serena contemplación de la naturaleza, humorismo, confesión amorosa, fragmentos narrativos inspirados en la historia, y muchos aspectos más, porque Lugones viene a ser uno de los poetas de más amplio registro que han existido en la lengua española.

ALMA VENTUROSA

Al promediar la tarde de aquel día,
cuando iba mi habitual adiós a darte,
fue una vaga congoja de dejarte
lo que me hizo saber que te quería.

Tu alma, sin comprenderlo, ya sabía...
Con tu rubor me iluminó al hablarte,
y al separarnos te pusiste aparte
del grupo, amedrentada todavía.

Fue silencio y temblor nuestra sorpresa;
mas ya la plenitud de la promesa
nos infundía un júbilo tan blando,

que nuestros labios suspiraron quedos,
y tu alma estremecíase en tus dedos
como si se estuviera deshojando.

EL NIDO AUSENTE

Sólo ha quedado en la rama
un poco de paja mustia,
y en la arboleda la angustia
de un pájaro fiel que llama.

Cielo arriba y senda abajo
no halla tregua a su dolor,
y se para en cada gajo
preguntando por su amor.

Ya remonta con su queja,
ya pía por el camino,
donde deja en el espino
su blanda lana la oveja.

Pobre pájaro afligido
que sólo sabe cantar,
y cantando llora el nido
que ya nunca ha de encontrar.

LA COQUETA

Bajo los fluidos bucles en que flota
su fina cabeza, de rubia beldad,
recluye en el ámbito de la ancha capota
con mimo adorable su puerilidad.

En el breve seno, denunciado apenas,
la esfumada línea de una vena azul,

limita un sucinto prado de azucenas
que crepusculiza la bruma del tul.

A la frágil gracia de su figulina,
une, casi auténtico, un aire de esplín;
y con incentivo carmín ilumina
la falacia irónica que huye en su mohín.

Su ojo, un poco fatuo, se abate a la sombra
de la ojera, en leves insomnios de té;
ajando el discreto matiz de la alfombra,
petulante arquea su menudo pie.

Transparenta lirios la calada media...
Y con su abanico lánguido y burlón,
sobre el especioso secuaz que la asedia
pulveriza un poco de su corazón.

HOLOCAUSTO

Llenábanse de noche las montañas,
y a la vera del bosque aparecía
la estridente carreta que volvía
de su viaje espectral por las campañas.

Conpungíase el viento entre las cañas,
y asumiendo la astral melancolía,
las horas prolongaban su agonía
paso a paso al través de tus pestañas.

La sombra pecadora, a cuyo intenso
influjo arde tu amor, como un incienso
en apacible combustión de aromas,

miró desde los sauces lastimeros
en mi alma un extravío de corderos
y en tu seno un degüello de palomas.

CONJUNCION

Sahumáronte los pétalos de acacia
que para adorno de tu frente arranco,
y tu nervioso zapatito blanco
llenó toda la tarde con su gracia.

Abrióse con erótica eficacia
tu enagua de surah, y el viejo banco
sintió gemir sobre tu activo flanco
el vigor de mi torva aristocracia.

Una resurrección de primaveras
llenó la tarde gris, y tus ojeras,
que avivó la caricia fatigada,

me fantasearon en penumbra fina
las alas de una leve golondrina
suspensa en la ilusión de tu mirada.

OCEANIDA

El mar, lleno de urgencias masculinas,
bramaba alrededor de tu cintura,
y como un brazo colosal, la oscura
ribera te amparaba. En tus retinas,

y en tus cabellos, y en tu astral blancura,
rieló con decadencias opalinas,
esa luz de las tardes mortecinas
que en el agua pacífica perdura.

Palpitando a los ritmos de tu seno,
hinchóse en una ola el mar sereno;
para hundirte en sus vértigos felinos

su voz te dijo una caricia vaga,
y al penetrar entre los muslos finos,
la onda se aguzó como una daga.

EL SOLTERON

I

Largas brumas violetas
flotan sobre el río gris,
y allá en las dársenas quietas
sueñan oscuras goletas
con un lejano país.

El arrabal solitario
tiene la noche a sus pies,
y tiembla su campanario
en el vapor visionario
de ese paisaje holandés.

El crepúsculo perplejo
entra a una alcoba glacial,
en cuyo empañado espejo
con soslayado reflejo
turba el agua del cristal.

El lecho blanco se hiela
junto al siniestro baúl,
y en su herrumbrada tachuela
envejece una acuarela
cuadrada de felpa azul.

En la percha del testero,
el crucificado frac
exhala un fenol severo,
y sobre el vasto tintero
piensa un busto de Balzac.

La brisa de las campañas
con su aliento de clavel
agita las telarañas,
que son inmensas pestañas
del desusado cancel.

Allá por las nubes rosas,
las golondrinas, en pos
de invisibles mariposas,
trazan letras misteriosas
como escribiendo un adiós.

En la alcoba solitaria,
sobre un raído sofá
de cretona centenaria,
junto a su estufa precaria,
meditando un hombre está.

Tendido en postura inerte
masca su pipa de boj,
y en aquella calma advierte
¡qué cercana está la muerte
del silencio del reloj!

En su garganta reseca
gruñe una biliosa hez,
y bajo su frente hueca
la verdinegra jaqueca
maniobra un largo ajedrez.

¡Ni un gorjeo de alegrías!
¡Ni un clamor de tempestad!
Como en las cuevas sombrías,
en el fondo de sus días
bosteza la soledad.

Y con vértigos extraños,
en su confusa visión

de insípidos desengaños,
ve llegar los grandes años
con sus cargas de algodón.

II

A inverosímil distancia
se acongoja un violín,
resucitando en la estancia
como una ancestral fragancia
del humo de aquel esplín.

Y el hombre piensa. Su vista
recuerda las rosas té
de un sombrero de modista...
El pañuelo de batista...
Las peinetas... el corsé...

Y el duelo en la playa sola:
Uno... dos... tres... Y el lucir
de la montada pistola...
y el són grave de la ola
convidando a bien morir.

Y al dar a la niña inquieta
la reconquistada flor
en la persiana discreta,
sintióse héroe y poeta
por la gracia del amor.

Epitalamios de flores
la dicha escribió a sus pies,
y las tardes de colores
supieron de esos amores
celestiales... Y después...

Ahora, una vaga espina
le punza en el corazón,
si una coqueta vecina
saca la breve botina
por los hierros del balcón;

y si con voz pura y tersa,
la niña del arrabal,
en su malicia perversa,
tema picantes conversa
con el canario jovial;

surge aquel triste percance
de tragedia baladí:
la novia . . . la flor . . . el lance . . .
Veinte años cuenta el romance.
Turguenef tiene uno así.

¡Cuán triste era su mirada,
cuán luminosa su fe
y cuán leve su pisada!
¿Por qué la dejó olvidada?
¡Si ya no sabe por qué!

III

En el desolado río
se agrisa el tono punzó
del crepúsculo sombrío,
como un imperial hastío
sobre un otoño de gro.

Y el hombre medita. Es ella
la visión triste que en un
remoto nimbo descuella:
es una ajada doncella
que le está aguardando aún.

Vago pavor le amilana,
y va a escribirla por fin
desde su informe nirvana...
La carta saldrá mañana
y en la carta irá un jazmín.

La pluma en sus dedos juega;
ya el pliego tiene el doblez
y su alma en lo azul navega.
A los veinte años de brega
va a decir "tuyo" otra vez.

No será trunca ni ambigua
su confidencia de amor
sobre la vitela exigua.
¡Si esa carta es muy antigua!...
Ya está turbio el borrador.

Tendrá su deleite loco,
blancas sedas de amistad
para esconder su ígneo foco.
La gente reirá un poco
de esos novios de otra edad.

Ella, la anciana, en su leve
candor de virgen senil,
será un alabastro breve.
Su aristocracia de nieve
nevará un tardío abril.

Sus canas, en paz suprema,
a la alcoba sororal
darán olor de alhucema,
y estará en la suave yema
del fino dedo el dedal.

Cuchicheará a ras del suelo
su enagua un vago fru-frú,

¡y con qué afable consuelo
acogerá el terciopelo
su elegancia de bambú!...

Así está el hombre soñando
en el aposento aquel,
y su sueño es dulce y blando;
mas la noche va llegando
y aún está blanco el papel.

Sobre su visión de aurora,
un tenebroso crespón
los contornos descolora,
pues la noche vencedora
se le ha entrado al corazón.

Y como enturbiada espuma,
una idea triste va
emergiendo de su bruma:
¡Qué mohosa está la pluma!
¡La pluma no escribe ya!

LA VEJEZ DE ANACREONTE

La tarde coronábalo de rosas;
sus dulces versos, en divino coro,
iban flotano como polen de oro
sobre alas de invisibles mariposas.

Componían los mimos suaves glosas.
Mugía blandamente el mar sonoro,
como si fuera un descornado toro
uncido a la cuadriga de las diosas.

Y más rosas llovieron; y la frente
del poeta inclinóse dulcemente,
y un calor juvenil flotó en sus venas.

Sintió llenos de flores los cabellos.
Las temblorosas manos hundió en ellos. . .,
y en vez de rosas encontró azucenas.

ADORACION

En lo infinito al brillar
tan pura, lejana y bella,
¿acaso sabe la estrella
cuando la refleja el mar?

Pero, al mirarla tan bella,
lejana y pura brillar,
sólo está tranquilo el mar
cuando refleja la estrella.

En su hermosura escondida
como un alma, ¿acaso sabe
la perla nítida y suave,
que es engendro de la herida?

Mas, de la dicha escondida,
sólo es digno aquel que sabe
engendrar, nítida y suave,
una perla de su herida.

Por eso, en penas de amor,
van buscando, siempre, así,
su estrella y su perla en ti
mi inquietud y mi dolor.

LA BLANCA SOLEDAD

Bajo la calma del sueño,
calma lunar de luminosa seda,
la noche
como si fuera

el blando cuerpo del silencio,
dulcemente en la inmensidad se acuesta.
Y desata
su cabellera
en prodigioso follaje
de alamedas.

Nada vive sino el ojo
del reloj en la torre tétrica,
profundizando inútilmente el infinito
como un agujero abierto en la arena.
El infinito,
rodado por las ruedas
de los relojes,
como un carro que nunca llega.

La luna cava un blanco abismo
de quietud, en cuya cuenca
las cosas son cadáveres
y las sombras viven como ideas.
Y uno se pasma de lo próxima
que está la muerte en la blancura aquella,
de lo bello que es el mundo
poseído por la antigüedad de la luna llena,
y el ansia tristísima de ser amado
en el corazón doloroso tiembla.

Hay una ciudad en el aire,
una ciudad casi invisible suspensa,
cuyos vagos perfiles
sobre la clara noche transparentan,
como las rayas de agua en un pliego,
su cristalización poliédrica.
Una ciudad tan lejana
que angustia con su absurda presencia.

¿Es una ciudad o un buque
en el que fuésemos abandonando la tierra,

callados y felices
y con tal pureza,
que sólo nuestras almas
en la blancura plenilunar vivieran?

Y de pronto cruza un vago
estremecimiento por la luz serena.
Las líneas se desvanecen,
la inmensidad cámbiase en blanca piedra,
y sólo permanece en la noche aciaga
la certidumbre de tu ausencia.

ENCANTO

No turba la tarde un vuelo.
Un noble zafiro oscuro
es el mar; y de tan puro,
luz azul se ha vuelto el cielo.

Azul es también la duna . . .
Y en esa uniforme tela,
no hay más que una blanca vela
que sale como la luna.

Tan honda es nuestra ventura,
que algo ella va a llorar.
Y lento solloza el mar
su constancia y su amargura.

EL VIEJO SAUCE

Viejo sauce pensativo,
que viendo el agua correr,
tras un beso siempre esquivo
se empeña en reverdecer.

Constancia que el tiempo pierde
sin cansarse de esperar,
al temblor del hilo verde
que en vano le echa al pasar.

Vean qué herida lo ha abierto
cual si fuese un ataúd,
y ya alegra al bosque muerto
su verdor de juventud.

No le impiden sus agobios
a la vida sonreír.
Viejo sauce de los novios
que pronto van a venir.

Más doblado sobre el cauce,
peligras y amas mejor.
Viejo sauce, viejo sauce,
preferido de mi amor.

EL JILGUERO

En la llama del verano,
que ondula con los trigales,
sus regocijos triunfales
canta el jilguerillo ufano.

Canta, y al son peregrino
de su garganta amarilla,
trigo nuevo de la trilla
tritura el vidrio del trino.

Y con repentino vuelo
que lo arrebata, canoro,
como una pavesa de oro
cruza la gloria del cielo.

SALMO PLUVIAL

Tormenta

Erase una caverna de agua sombría el cielo;
el trueno, a la distancia, rodaba su peñón;
y una remota brisa de conturbado vuelo,
se acidulaba en tenue frescura de limón.

Como caliente polen exhaló el campo seco
un relente de trébol lo que empezó a llover.
Bajo la lenta sombra, colgada en denso fleco,
se vio al cardal con vívidos azules florecer.

Una fulmínea verga rompió el aire al soslayo;
sobre la tierra atónita cruzó un pavor mortal;
y el firmamento entero se derrumbó en un rayo,
como un inmenso techo de hierro y de cristal.

Lluvia

Y un mimbreral vibrante fue el chubasco resuelto
que plantaba sus líquidas varillas al trasluz,
o en pajonales de agua se espesaba revuelto,
descerrajando al paso su pródigo arcabuz.

Saltó la alegre lluvia por taludes y cauces;
descolgó del tejado sonoro caracol;
y luego, allá a lo lejos, se desnudó en los sauces,
transparente y dorada bajo un rayo de sol.

Calma

Delicia de los árboles que abrevó el aguacero.
Delicia de los gárrulos raudales en desliz.
Cristalina delicia del trino del jilguero.
Delicia serenísima de la tarde feliz.

Plenitud

El cerro azul estaba fragante de romero,
y en los profundos campos silbaba la perdiz.

ULTIMAS ROSAS

Yo quisiera morir como las rosas
en la blandura del deshojamiento.
Irme suave y cordial, callado y lento
en la quietud conforme de las cosas.

Prolongar por las calles arenosas
del jardín familiar, ya macilento,
la blandura de mi deshojamiento
en la melancolía de las rosas...

LA PALMERA

Al llegar la hora esperada
en que de amarla me muera,
que dejen una palmera
sobre mi tumba plantada.

Así, cuando todo calle,
en el olvido disuelto,
recordará el tronco esbelto
la elegancia de su talle.

En la copa, que su alteza
doble con melancolía,
se abatirá la sombría
dulzura de su cabeza.

Entregará con ternura
la flor, al viento sonoro,

el mismo reguero de oro
que dejaba su hermosura.

Y sobre el páramo yerto,
parecerá que su aroma
la planta florida toma
para aliviar al desierto.

Y que con deleite blando,
hasta el nómade versátil
va en la dulzura del dátil
sus dedos de ámbar besando.

Como un suspiro al pasar,
palpitando entre las hojas,
murmurará mis congojas
la brisa crepuscular.

Y mi recuerdo ha de ser,
en su angustia sin reposo,
el pájaro misterioso
que vuelve al anochecer.

RUFINO BLANCO FOMBONA

1874 - 1944

Venezuela. Obra lírica reducida es la que se conserva de este autor, a quien ha de buscarse con preferencia en la prosa. Sus ideas políticas le impidieron vivir en su patria, y la mayor parte de sus años los pasó en Francia y en España. En este país creó una entidad editorial que difundió centenares de títulos literarios. Como era hombre de pasiones, se dio maña para presentar allí sólo algunos aspectos de la vida literaria del continente hispanoamericano. Así y todo, su empresa sirvió para vincular naciones que siempre han estado muy distantes.

ROMANCE

Cuando reclina en la nevada mano
la rubia frente virginal,
entorna la mirada y enmudece:
¿en quién la niña pensará?

Cuando risueña sale a sus balcones
y fija el ávido mirar
en la sinuosa y argentada ruta:
¿a quién la niña buscará?

Cuando al surgir las brumas de la tarde,
recorre el ámbito del mar,
y gime al son del agua y de los vientos:
¿por quién la niña gemirá?

Cuando en la calma del dormir suspira,
diseña un ósculo de paz
y balbucea dulcemente un nombre:
¿con quién la niña soñará?

NOCHE DORADA

Rompe la orquesta de alegrías hondas
que labios junta y corazones ata,
rompe a sonar bajo las verdes frondas,
en la noche de estío azul y plata.

Echa a volar la luna por el cielo:
ave maravillosa,
bate la nívea pluma
y se convierte en blanca rosa,
en fantástica rosa de espuma.

Pasan bajo el azul del firmamento
los Deseos, cual potros voladores;
y se escucha el fragmento
de una canción de amores.

Los poderosos brazos no intimidan
a la breve cintura delicada;
y los besos anidan
entre la blonda cabellera amada.

Tiemblan sobre el corpiño
de la bella adorada
las camelias de armiño;
arden los sexos de rosa y de seda,
y en fúlgidos colores
teñido el rostro de la virgen queda.
Es noche de alegría. Los amores
cantan bajo la erótica arboleda.

Revuelan por las callejas, como pájaros, las trovas
al son de dulces bandolines,
y ríen, en las rústicas y fragantes alcobas,
los faunos de metal de los jardines.

DEL SIGLO XVIII

La linda, amorosa,
la grácil duquesa,
de cutis de rosa
y boca de fresa;

con la sierva linda
de menudo paso,
y boca de guinda
y cutis de raso;

ante uno de rosa
feliz tocador,
compara amorosa
sus senos en flor.

Escuchan un breve
y lánguido paso
que va al tocador;
se abrochan el leve
corpiño de raso;

y llenas de amor,
muerden, la duquesa
y la sierva linda:
la esclava, la fresa;
la noble, la guinda.

EL BRUSCO MANOTAZO

El brusco manotazo del destino
arrancó la florida enredadera,

la escultura arrancó, derramó el vino,
sin pájaros quedó la pajarera.

Arrancó la florida enredadera,
dejando punzadores oxiacantos;
sin pájaros quedó la pajarera,
antes llena de vuelos y de cantos.

Dejando punzadores oxiacantos
en un alma de rosa y terciopelo,
por ceguedad o en ímpetu asesino,
mató el trinar y la ambición del cielo
el brusco manotazo del destino.

JULIO HERRERA Y REISSIG

1875 - 1910

Uruguay. Un ingenio irregular, lindante con la locura, es el que han señalado los estudiosos de la obra de este autor, que en sólo treinta y cinco años escribió miles de versos. No todo es allí modernista, pero un manojo de sus sonetos sigue siendo de lo mejor que logró el Modernismo en las riberas del Río de la Plata.

Exuberante en la fantasía, con visiones a menudo deformes, a las cuales suelen, además, corresponder caprichosas y hasta pedantescas voces técnicas, la poesía de Herrera y Reissig exige un tratamiento especial, que ya comienzan a brindarle los especialistas.

LA CASA DE LA MONTAÑA

Ríe estridentes glaucos el valle; el cielo franca
risa de azul; la aurora ríe su risa fresa;
y en la era en que ríen granos de oro y turquesa
exulta con cromático relincho una potranca...

Sangran su risa flores rojas en la barranca;
en sol y cantos ríe hasta una oscura huesa;
en el hogar del pobre ríe la limpia mesa,
y allá sobre las cumbres la eterna risa blanca...

Mas nada ríe tanto, con risas tan dichosas,
como aquella casuca de corpiño de rosas
y sombrero de teja, que ante el lago se aliña...

¿Quién la habita?... Se ignora. Misteriosa y huraña
se está lejos del mundo sentada en la montaña,
y ríe de tal modo que parece una niña.

CONSAGRACION

Surgió tu blanca majestad de raso
toda sueño y fulgor en la espesura,
y era en vez de mi mano —atenta al caso-
mi alma la que oprimía tu cintura.

De procaces sulfatos una impura
fragancia conspiraba a nuestro paso,
en tanto que propicio a tu aventura
llenóse de amapolas el ocaso.

Pálida de inquietud y casto asombro
tu frente declinó sobre mi hombro...
Uniéndome a tu ser, con suave impulso,

al fin de mi especioso simulacro,
de un largo beso te apuré convulso,
hasta las heces, como un vino sacro.

EL SECRETO

Se adoran. Timo atiende solícita al gobierno
de la casuca blanca. Bion a sus pocas reses.
Y bajo la tutela de días sin reveses,
amor retoza y medra, como un cabrito tierno.

Con casta dicha, Timo, en el claustro materno,
siente latir un nuevo corazón de tres meses...
Y sueña, en sus obscuros arrobos montañeses,
que la penetra un rayo de dinamismo eterno.

Ante el amante, presa de ardores purpurinos,
se turba y el secreto tiembla en sus labios rojos;
huye, torna, sonríe, se oculta entre los pinos...

Bion calla, pero apenas descifra sus sonrojos,
la estrecha, y en un beso pone el alma en sus ojos
donde laten los últimos ópalos vespertinos.

LA FUGA

Temblábamos al par... En el austero
desorden que realzaba tu hermosura,
acentuó tu peinado su negrura
inquietante de pájaro agorero...

¡Nadie en tus ojos vio el enigma; empero
calló hasta el mar en su presencia oscura!
Inaccesible y ebria de aventura,
entre mis brazos te besó el lucero.

Apenas subrayó el esquife vago
su escuálida silueta sobre el lago,
te sublimaron trágicos sonrojos...

Sacramentó dos lágrimas postreras
mi beso al consagrar sobre tus ojos.
¡Y se durmió la tarde en tus ojeras!...

LA NOVICIA

Surgiste, emperatriz de los altares,
esposa de tu dulce nazareno,
con tu atavío vaporoso, lleno
de piedras, brazaletes y collares.

Celoso de tus júbilos albares,
el ataúd te recogió en su seno,
y hubo en tu místico perfil un pleno
desmayo de crepúsculos lunares.

Al contemplar tu cabellera muerta,
avivóse en mi espíritu una incierta
huella de amor. Y mientras que los bronces

se alegraban, brotaron tus pupilas
lágrimas que ignoraran hasta entonces
la senda en flor de tus ojeras lilas.

EL JUEGO

Jugando al escondite, en dulce aparte,
niños o pájaros los dos, me acuerdo,
por gustar tu inquietud casi me pierdo
y en cuanto a ti... ¡problema era encontrarte!

Después, cuando el espíritu fue cuerdo,
burló mi amor tu afán en ocultarte...,
y al amarme a tu vez, en el recuerdo
de otra mujer me refugié con arte.

De nuevo, en la estación de la experiencia,
diste en buscarme, cuando yo en la ausencia,
suerte fatal, me disfracé de olvido...

Por fin el juego ha terminado... ¡Trunca
tu vida fue!... Tan bien te has escondido,
que ¡vive Dios! ¡no nos veremos nunca!...

DECORACION HERALDICA

Señora de mis pobres homenajes,
débote amor aunque me ultrajes.
GONGORA

Soñé que te encontrabas junto al muro
glacial donde termina la existencia
paseando tu magnífica opulencia
de doloroso terciopelo oscuro.

Tu pie, decoro del marfil más puro,
hería, con satánica inclemencia,

las pobres almas, llenas de paciencia,
que aún se brindaban a tu amor perjuro.

Mi dulce amor, que sigue sin sosiego,
igual que un triste corderito ciego,
la huella perfumada de tu sombra,

buscó el suplicio de tu regio yugo,
y bajo el raso de tu pie verdugo
puse mi esclavo corazón de alfombra.

EPITALAMIO ANCESTRAL

Con pompas de brahmánicas unciones
abrióse el lecho de tus primaveras,
ante un lúbrico rito de panteras
y una erección de símbolos varones...

Al trágico fulgor de los hachones
ondeó la danza de las bayaderas
por entre una apoteosis de banderas
y de un siniestro trueno de leones.

Ardió al epitalamio de tu paso
un himno de trompetas fulgurantes...
Sobre mi corazón, los hierofantes

ungieron tu sandalia, urna de raso,
a tiempo que cien blancos elefantes
enroscaban su trompa hacia el ocaso.

COLOR DE SUEÑO

Anoche vino a mí, de terciopelo;
sangraba fuego de su herida abierta;
era su palidez de pobre muerta,
y sus náufragos ojos sin consuelo...

Sobre su mustia frente descubierta
languidecía un fúnebre asfodelo;
y un perro aullaba, en la amplitud de hielo,
al doble cuerno de una luna incierta...

Yacía el índice en su labio, fijo
como por gracia de hechicero encanto,
y luego que, movido por su llanto,

quién era, al fin, la interrogué, me dijo:
—Ya ni siquieras me conoces, hijo,
¡si soy tu alma, que ha sufrido tanto!

JOSE SANTOS CHOCANO

1875 - 1934

Perú. Habiendo leído Chocano en José Enrique Rodó que Rubén Darío no era "el poeta de América", por la escasa atención que en su obra se prestaba a las realidades geográficas y humanas del Nuevo Mundo, él se propuso serlo. En su obra, de proporciones gigantescas, queda espacio a una serie de composiciones inspiradas en la naturaleza americana.

Allí también hay Modernismo, así como lo hay, por excelencia, en los poemas amatorios. Su vida errante quitó tiempo a Chocano para escribir con calma, y terminó en forma desastrada, en Santiago de Chile, a manos de un maníaco que le hirió de muerte en un tranvía.

BLASON

Soy el cantor de América autóctona y salvaje:
mi lira tiene un alma, mi canto un ideal.
Mi verso no se mece colgado de un ramaje
con un vaivén pausado de hamaca tropical...

Cuando me siento Inca, le rindo vasallaje
al Sol, que me da el cetro de su poder real;
cuando me siento hispano y evoco el Coloniaje,
parecen mis estrofas trompetas de cristal.

Mi fantasía viene de un abolengo moro:
los Andes son de plata, pero el León de Oro;
y las dos castas fundo con épico fragor.

La sangre es española e incaico es el latido;
y de no ser poeta, quizás yo hubiera sido
un blanco aventurero o un indio emperador.

COPA DE ORO

Dame el buril con que grabar solía
el artífice heleno, en copas de oro,
ninfas danzantes en alegre coro
y sátiros con rostro de ironía.

En el contorno de la estrofa mía,
grabaré, como artístico tesoro,
tu egregio busto, tu imperial decoro
y tu perpetuo abril de poesía.

Mas tu copia mejor no vale nada,
desque me ocultan con tu faz de diosa
el abismo de tu alma disoluta,

como si entre esa copa burilada
me brindases con mano mentirosa,
envuelta en oro, la mortal cicuta.

ASUNTO WATTEAU

Eres princesa gentil
del tiempo en que el rey galante
tañía en jardín fragante
su pífano pastoril.

Así la fiesta real
sobre tus labios de flor,
libando mieles de amor,
vibra eterno madrigal.

La gloria de tu belleza
canta a los nobles señores,
que se fingían pastores,
hartos de tanta nobleza.

Triunfas en la alegre fiesta
como una abeja de oro,
que danza al compás sonoro
de la voluptuosa orquesta.

Pastoras hay a tu lado
y pastores a tus pies:
la alfombra que huellas es
blanco césped tapizado.

Bajo un sol de áureos destellos
que traspasa los follajes,
arreboles son los trajes
y espumas los albos cuellos.

Allá un pastor que arrebata
con églogas a su amante,
luce anillos de diamante
y brocados de oro y plata.

Allá una dulce pastora
que de amantes tiene rueda,
mueve la crujiente seda
de su falda tentadora...

A un golpe sobre el atril
rompe la canción galante
gime el violín sollozante
y retumba el tamboril;

y fíngese entre la cauta
fronda de vaga ilusión,

la rítmica confusión
de la paloma y la flauta.

¡Loado el baile! Las damas
de sus galanes en brazos,
atan y desatan lazos
de luciérnagas y flamas...

Y mientras que al centro tú
sonríes, giran en rueda,
oropéndolas de seda,
mariposas de tisú...

Y ensayas, sacando el pie,
al son de la blanda nota,
inflexiones de gavota
y actitudes de minué.

Así la idílica fiesta,
en que mezclan sus cambiantes
los zigzags de los danzantes
y los gluglús de la orquesta...

Así la fiesta, así es
digna del verso ferviente
de un Virgilio decadente
o de un Teócrito marqués...

Tu cabellera empolvada,
rima con la albura acaso
de los estuches de raso
que cubren tus pies de hada.

Formas de suave inflexión
muestra tu talle, ceñido
por simbólico vestido
como abierto corazón.

El abanico en tu mano
a los galanes responde
y ya se ríe de un conde,
ya desdeña un cortesano.

Si una indiscreción te hiere,
enojado tu abanico
se abre y cierra, como el pico
de un cisne . . . que canta y muere.

¡Loado el príncipe augusto
que, enlazando tu cintura,
va paseando la hermosura
escultural de tu busto!

Rueda el sol al precipio;
y a los póstumos fulgores,
las telas multicolores
son cual fuego de artificio.

Lánguidamente sus sones
apagando va la orquesta;
y se disuelve la fiesta
en parvadas de ilusiones . . .

Tú vas dejando en los prados,
tras de esa fiesta de amores,
como regueros de flores,
corazones deshojados . . .

Para pedirte una flor
de esas que huellan tus pies,
Pan se viste de marqués
y Apolo se hace pastor.

¡Cuánta memoria despierta
ese tu donaire altivo! . . .

¡Eres el recuerdo vivo
de la aristocracia muerta!

LA INUTIL TORRE

Solo en mi torre cristalina
trabajo el verso de la mina
que hay en mi propio corazón;
cada calvario me da un tema
y cada lágrima una gema
y cada injuria una canción.

Trepo en mi torre a lo más alto,
y en actitud de dar un salto,
rompo en un grito de emoción;
algún oído me es piadoso,
mas yo me vuelvo hacia el reposo
de mi total renunciación...

¡Bendito el gesto desolado
con que el orgullo me ha encerrado
en esta torre de cristal!...
Nada me importa que el ambiente
nuble la estrella de mi frente
ni se alimente de mi mal...

Los que se gozan de la herida
saben que siempre de la vida
me vengaré con mi canción;
los que se oponen a mi estrella,
allá, en silencio, sienten que ella
les ilumina el corazón...

Hostil, un ímpetu lejano,
piedra tras piedra quiere en vano
mi torre lírica romper;
siéntome herido, no por mano

de mercader ni de villano,
sino por mano de mujer...

¡Ay, es inútil que el poeta
piense en lograr una secreta
hora, por fin, sin bien ni mal;
manos sedosas y elegantes
con sus sortijas de diamantes
rayan mi torre de cristal.

EN EL DIVAN

Indolente y gentil como Afrodita
ensayas las más lánguidas posturas;
y en tu diván, mirando las alturas,
eres el abandono que medita.

Saltas, al eco de tu amor que grita;
vibras, al diapasón de tus locuras,
que, en tus formas de lira, hay curvaturas
de la sensualidad más exquisita.

El voluble abanico, que en tu mano
cándidamente y a compás se mece,
te da un tinte de amor extramundano;

y, bajo de la túnica, el pequeño
pie en que termina tu beldad parece
ser el punto final de todo un sueño...

EL PAVO REAL

El pavo real es el señor vizconde
que con golilla tornasol pasea,
que entre plumas magníficas se esconde,
y con un grito trémulo responde
si la alegre gallina cacarea...

Vedle cómo, señor de los señores,
mueve a compás el cuerpo en que tremola
la bandera de todos los colores,
mientras luciendo va todas las flores
sobre el arco iris de su abierta cola...

Vedle cómo en su cuello, donde empieza
ese matiz que entre las plumas vaga,
orgulloso levanta la cabeza:
vedle cómo conoce su belleza
y con su propia vanidad se embriaga.

Pasea como un rey entre sus salas,
luciendo altivo las abiertas rosas
que en amplia confusión forman sus galas;
él, que tiene en la cola y en las alas
prendidas un millón de mariposas.

CORNUCOPIA

En las arcas de América fulgentes
hay riquezas que al Sol diesen enojos:
el oro del Perú despertó antojos
en la codicia de las viejas gentes;

México da su plata hecha torrentes;
Chile el incendio de sus cobres rojos;
diamantes el Brasil cual claros ojos;
y perlas Panamá cual finos dientes.

Si Bolivia con épicos afanes
clava, sobre la abrupta cordillera,
como cofres de nieve, sus volcanes,

¡Colombia ve sus délficas guirnaldas
en perpetuo verdor, cual si las viera
a través de sus propias esmeraldas!

TARDE EN EL RIO

En tanto que el caudal se desenrosca,
tienden tras del bohío las colinas
sus voluptuosas curvas femeninas,
cual perfila un carbón su línea tosca.

Gruñe la selva; y la maraña fosca
trunca, a los lejos, escombradas ruinas.
Es la tarde. Hay sonatas cristalinas;
y en cada guitarrón zumba una mosca.

Zetas pinta una garza sobre el río;
cocuyos en la selva abren su broche;
y un boga, por la orilla, empuja un barco.

Rueda el Sol; y la imagen del bohío
se hunde, por fin, de súbito en la noche,
como se hunde un caimán dentro de un charco . . .

PAGANA

No os ofendáis, señora,
porque esta vez a vuestro oído llega
el verso amante del que en vos adora
las formas sólo de la estatua griega.

Dejad que en mi alma esculpa
vuestro perfil olímpico de diosa
con cinceles de amor. ¿Tengo la culpa
de que sea yo artista y vos hermosa?

Arte soy, vos belleza;
y dejaros de amar fuese un ultraje:
no grabaré mi nombre en la corteza,
pero quiero dormir bajo el follaje . . .

¿No os place ver la estatua
que en el museo artístico descuella,
no neciamente desdeñosa y fatua,
pero como segura de ser bella?

A mí me place el firme
molde en que se vació vuestra hermosura.
¡Bajo el golpe traidor quiero morirme,
como César, al pie de una escultura!

Por eso, ya que en vano
os quisiera estrechar de ardores lleno,
dadme ese traje que ceñís tirano
en que resalta vuestro ebúrneo seno.

Hundiera en él mi frente;
y aspirara, con fiebre voluptuosa,
el perfume impregnado que se siente
como una tibia emanación de rosa.

¡Sí! yo os quiero mirar, señora mía,
desnuda al fin correr por el boscaje.
Diosa desnuda de la selva umbría:
tal vez mi sombra os servirá de traje...

DECLAMATORIA

El bardo melenudo y decadente
se pasó, sutilísima y ligera,
la mano por la blonda cabellera,
y se la alborotó sobre la frente.

Plegó después el labio sonriente,
alzó los ojos a la azul esfera,
y con voz melodiosa y plañidera
rompió el silencio de la absorta gente...

Y dijo sus estrofas. Nadie pudo
sorprender los oscuros simbolismos,
ni salió nadie del asombro mudo.

De súbito estallaron las palmadas,
¡pero sonaron los aplausos mismos
como si hubieran sido bofetadas!

NOSTALGIA

Hace ya diez años
que recorro el mundo
¡He vivido poco!
¡Me he cansado mucho!
Quien vive de prisa no vive de veras:
quien no echa raices no puede dar frutos.
Ser río que corre, ser nube que pasa,
sin dejar recuerdo ni rastro ninguno,
es triste; y más triste para quien se siente
nube en lo elevado, río en lo profundo.

Quisiera ser árbol mejor que ser ave,
quisiera ser leño mejor que ser humo;
y al viaje que cansa,
prefiero el terruño:
la ciudad nativa con sus campanarios,
arcaicos balcones, portales vetustos
y calles estrechas, como si las casas
tampoco quisieran separarse mucho...
Estoy en la orilla
de un sendero abrupto.
Miro la serpiente de la carretera
que en cada montaña da vueltas a un nudo;
y entonces comprendo que el camino es largo,
que el terreno es brusco,
que la cuesta es ardua,
que el paisaje es mustio...

¡Señor! ya me canso de viajar, ya siento
nostalgia, ya ansío descansar muy junto
de los míos... Todos rodearán mi asiento
para que les diga mis penas y triunfos;
y yo, a la manera del que recorriera
un álbum de cromos, contaré con gusto
las mil y una noches de mis aventuras
y acabaré con esta frase de infortunio:
—¡He vivido poco!
¡Me he cansado mucho!

LA MAGNOLIA

En el bosque, de aromas y de músicas lleno,
la magnolia florece delicada y ligera,
cual vellón que en las zarzas enredado estuviera
o cual copo de espuma sobre un lago sereno.

Es un ánfora digna de un artífice heleno,
un marmóreo prodigio de la clásica era;
y destaca su fina redondez a manera
de una dama que luce descotado su seno.

No se sabe si es perla, ni se sabe si es llanto.
Hay entre ella y la luna cierta historia de encanto
en la que una paloma pierde acaso la vida;

porque es pura y es blanca y es graciosa y es leve
como un rayo de luna que se cuaja en la nieve
o como una paloma que se queda dormida.

LOS VOLCANES

Cada volcán levanta su figura,
cual si de pronto, ante la faz del cielo,
suspendiesen el ángulo de un velo
los dedos invisibles de la altura.

La cresta es blanca y como blanca pura;
la entraña hierve en inflamado anhelo;
y sobre el horno aquel contrasta el hielo,
cual sobre una pasión un alma dura.

Los volcanes son túmulos de piedra,
pero a sus pies los valles que florecen
fingen alfombras de irisada yedra;

y por eso, entre campos de colores,
al destacarse en el azul, parecen
cestas volcadas derramando flores...

VICTOR M. LONDOÑO

1870 - 1936

Colombia. El medio ambiente colombiano, con sus tradiciones firmemente establecidas, no podía ser, por definición, el mejor caldo de cultivo para el Modernismo; pero Londoño logró mostrarse modernista en algunas de sus composiciones. Su obra depurada y exquisita, es de muy breve extensión.

ELEGIA

Jardín galante a cuyo efluvio
acuden ebrias mariposas,
¿por qué no llega el niño rubio
que dialogaba con las rosas?

Vagan en torno de las lilas
nocturno aroma, aliento blando;
y mientras tañen las esquilas
reza la fuente sollozando...

Gruta fragante donde giran
sombras amadas, sé discreta
para las almas que suspiran
bajo el crepúsculo violeta.

Arbol repuesto cuyas frondas
tejieron bóvedas propicias;
afable espejo de las ondas,
viento cargado de caricias...

Jardín sin alma, no florezcas
para los ojos maternales
que vieron tantas bocas frescas
y tantas manos espectrales!

Ruedan los pétalos ardientes;
en el crepúsculo afligido
habla de pálidos ausentes
la flor exangüe del olvido...

Deshoja el cáliz de tus rosas,
y ante el arcano de los cielos
cubre tus eras silenciosas
de margaritas y asfodelos...

VISION TRAGICA

Llegóse a ti con paso cauteloso
para herirte, la pálida Enemiga.
El ritmo de la sangre se fatiga
en ti, que eres el árbol rumoroso
de la humana floresta; que sonríes
con el verdor ubérrimo de un campo
donde alternan las rosas carmesíes
con los mirtos en flor. Apenas arde
en tu pupila juvenil un lampo...
Solloza en mí la esquila de la tarde.
Ah! ¿quién pudo trocar nuestros destinos?
Ensangrentada y muda y sin reproche,
miro abiertos tus brazos en la noche,
cual la siniestra cruz de los caminos.

¡Cuán mudo el esperar y cuán avaros
a la pasión del voto lisonjero
tus labios graves y tus ojos claros!

Indómita esquivez; porte altanero
que turba el corazón y el rostro humilla;
luego el rubor que tiñe la mejilla,
y el beso en la penumbra del sendero...

Criatura de bondad, busqué tu arrimo;
y tu boca jovial, suave racimo
que destilaba miel, fue tu homenaje.

Como un ardiente pájaro salvaje
vibró mi corazón... Ora la muerte
ceñuda sombra de misterio vierte
sobre tus ojos, que la vida ignoran.
Mientras los míos en silencio lloran,
pasas, visión de trágico desvelo,
y alumbran tus miradas de agonía
la nocturna ciudad del alma mía,
bajo la flora mística del cielo.

EUGENIO DIAZ ROMERO

1877 - 1927

República Argentina. Figura con honor en la historia del Modernismo por haber editado en Buenos Aires, entre 1898 y 1900, la revista titulada *El Mercurio de América* en que se hizo campaña modernista y se publicaron por primera vez no pocas piezas de los más avanzados poetas argentinos. Su obra lírica es más bien reducida, ya que consta que Díaz Romero era muy exigente consigo mismo en la elaboración de sus composiciones.

INTERMEZZO

¡Dolor infatigable, ya no oirás mi lamento!
Mi cítara está muda, para cantar la garra
que se hunde en lo más hondo, vital del pensamiento
y del cuerpo la fibra sin piedad nos desgarra.

Hoy no sufro ni lloro: estoy ágil, contento,
mi pecho está vibrante como el de mi guitarra.
Tengo anhelos de vida, de amor, de luz, de viento,
de estallar en canciones como loca cigarra.

El azul me sonríe, me abisba en su dulzura.
El agua me parece más límpida y más pura.
Las hembras me enloquecen con sus bocas en flor.

No quiero saber nada de dudas y pesares,
no sufro, sólo quiero perfumes de azahares
y el beso de tus labios febricientes, Amor.

RAYO DE OTOÑO

Bajo un cielo de oro cruzamos la avenida
llena de tuberosas tibias y ruiseñores.
El viento, dulce y suave, agitaba las flores,
sobre las que la tarde se detuvo dormida.

Mi alma meditabunda, pálida, perseguida,
evocaba en esa hora lírica sus amores;
una fuente ondulaba apenas sus rumores
en alas de la brisa de fragancias ungida.

Paso a paso llegamos al estanque sonoro.
Y ella dijo: "La tarde, como un pájaro de oro,
vierte sobre nosotros su más fina dulzura.

¡Ah! morir, cuando se aman los verdes melancólicos,
cuando cada corola solloza su blancura,
y el espacio se llena de rumores eólicos..."

DESEO

Su alma, como una alondra divinamente pura,
erraba en los más blancos confines de los cielos;
mas una tarde llena de sueño y de dulzura
anheló de otra alma caricias y consuelos.

Con vestidos extraños recamó su hermosura.
Como un hada divina, presa de los anhelos
de la tierra, dijo ella: "Rásguese la blancura
que oculta mi inocencia con transparentes velos."

Y ante las maravillas supremas del espacio,
su alma, como un destello de ópalo y de topacio,
bajó del alto cielo constelado de aureolas.

Lloraban su partida los pálidos querubes,
mientras que en los zafiros de las blancas corolas
caía la tristeza de una tarde sin nubes.

EFREN REBOLLEDO

1877 - 1929

México. El exotismo del paisaje sedujo desde muy joven a este poeta, a quien el servicio diplomático de su patria, tradicionalmente generoso con los escritores, paseó de Noruega a Chile y del Japón a Holanda. Además de esa nota es visible en sus composiciones una ardiente sensualidad erótica, resbaladizo terreno en el cual logró singulares aciertos.

DE LOS SATIROS TRAIDORES

De los sátiros traidores
de la selva moradores,
de los sátiros traviesos
que en los bosques daban besos
y poblaban de locuras
las agrestes espesuras;
de los sátiros bribones
que engañaban con canciones
a las ninfas inocentes
que surgían de las fuentes
a lucir su torso fino
de color alabastrino;
de los faunos voluptuosos
que exploraban sigilosos
a la hora de la siesta
la balsámica floresta
sorprendiendo en sus guaridas
a las náyades dormidas;

o corrían por veredas
y tupidas arboledas
tras deidad intransigente,
convertida de repente
en zampoña quejumbrosa
o fontana rumorosa;
de los sátiros traidores
de las selvas moradores,
yo fui el más enamorado,
el más tierno y más osado,
y el que hizo más locuras
en las verdes espesuras.
Tras el biombo de las ramas
yo encendí las rojas llamas
de mis lúbricas pupilas,
contemplando en las tranquilas
linfas puras y rizadas
el cortejo de las dríadas.
Bajo el lecho de los nidos
yo aguzaba los oídos
atisbando el dulce anhelo
de las tórtolas en celo.
Yo aspiré el aura ligera
que era dulce mensajera
de los pólenes dorados
de los lirios destapados,
o escuchaba las resinas
crepitar en las encinas,
y la marcha tumultuosa
de su savia vigorosa.
En mi vida por el prado
yo estampé desatentado
en la tierra humedecida
mi pezuña dividida,
derribando en las quebradas
a las ninfas espantadas,
restregando los vellones

de mi barba en sus pezones.
Y mis cuernos aguzados
en sus muslos torneados
de lunar cristal de roca
que lustraba con mi boca.
Y fui el más enamorado,
el más tierno y más osado,
de los sátiros traidores
de las selvas moradores.

EN LAS TINIEBLAS

El crespón de la sombra más profunda
arrebuja mi pecho afortunado,
y ciñendo tus formas a mi lado
de pasión te estremeces moribunda.

Tu cabello balsámico circunda
los lirios de tu rostro delicado,
y al flotar por mis dedos destrenzado
de más capuz el tálamo se inunda.

Trema el alma en mi mano palpitante
al palpar tu melena lujuriante,
surca sedosos piélagos de aromas,

busca ocultos jardines de delicias
y, cubriendo las flores y las pomas,
nievan calladamente mis caricias.

VOTO

Destaparé mis ánforas de esencia
y prenderé mis candelabros de oro
cuando la diosa pálida que adoro
llene mi soledad con su presencia.

En su pelo de blonda refulgencia
y en su labio odorífico y sonoro
hay el fulgor de un candelabro de oro
y el perfume de un ánfora de esencia.

Vendrá con su ropaje de inocencia
e incitando mi ardor con su decoro,
pero al fin gozaré de su opulencia
en medio de mis ánforas de esencia
y mis ardientes candelabros de oro.

LOS BESOS

Dame tus manos puras; una gema
pondrá en cada falange trasparente
mi labio tembloroso, y en tu frente
cincelará una fúlgida diadema.

Tus ojos soñadores, donde trema
la ilusión, besaré amorosamente,
y con tu boca rimará mi ardiente
boca un anacreóntico poema.

Y en tu cuello escondido entre las gasas
encenderé un collar que con sus brasas
queme tus hombros tibios y morenos,

y cuando al desvestirte lo desates
caiga como una lluvia de granates
calcinando los lirios de tus senos.

FRANCISCO CONTRERAS

1877 - 1933

Chile. Ardiente modernista en su patria, logró muy joven irse a París con la intención de hacer vida sólo literaria, y alcanzó a cumplir su proyecto hasta el punto de haber sido durante más de veinte años crítico oficial del *Mercure de France* para los libros hispanoamericanos.

Convencido de que el Modernismo había ya cumplido su hora, auspició un cambio de rumbo entre los escritores hispanoamericanos, con un manifiesto sobre el Mundonovismo, teoría que en su entender debía reemplazar a la modernista. Amigo personal de Ruben Darío, escribió sobre él un estudio que contiene multitud de noticias de primera mano.

EL PUÑAL ANTIGUO

Sobre el tapiz oriental
de mi alcoba obscura y fría
tengo tu fotografía
clavada con un puñal.

Bajo el bruñido metal
que guiara mi mano impía,
me mira tu faz sombría
con una angustia mortal.

Y cuando el día se pierde
y el aciago ajenjo verde
exalta mi hondo dolor,

¡con qué perverso arrebato
hundo sobre tu retrato
aquel puñal vengador!

JOYEL

De verde y oro prolija,
en viejo tronco posada,
está, a la siesta azulada,
una bella lagartija.

Sobre su colilla fija,
bajo la cruel luz dorada,
brilla su escama irisada
como bruñida sortija.

Yo, al contemplarla apacible,
hermosa, fría y terrible,
me abismo, ¡oh niña que adoro!
Y pienso, de angustia lleno,
¡qué bien iría en tu seno,
como un joyel verde y oro!

REMEMBRANZA

Me parece, querida, que es ahora.
Al ver tus ojos tiernos en mi acecho,
de aquel bello pasado ya deshecho,
siento el perfume en mi alma soñadora.

Te contemplo de nuevo arrulladora
sobre tu tibio y aromado lecho,
henchido de emoción el blanco pecho,
en tu camisa de color de aurora.

Vagos los ojos de mirar sombrío,
vibrantes de pasión y desvarío,
rígido el torso, palpitante el cuello.

Y después del deseo, ya rendida,
saciada de placer, desvanecida
sobre el áureo toisón de tu cabello.

LAS CRISANTEMAS

En desmesuradas yemas,
sobre los tallos entecos,
en los parterres ya secos
se esponjan las crisantemas.

Flores raras, son emblemas
del arte de nuevos ecos,
amante de orlas y flecos
y de rarezas supremas.

Exóticas y hieráticas
como princesas asiáticas,
pues que son raras, son bellas,

prendidas entre los rasos,
o abiertas sobre los vasos
como monstruosas estrellas.

SINFONIA

¡Oh pálida cíngara! Este es el momento.
La sombra es verdosa, la luz funeral.
¡Pues alza a los cielos tu copa de argento
nimbada de llamas y flores del mal!

Desmayan los fuegos de ignífera siesta
y alegre desciende la noche gentil;
el cielo está verde como una floresta...
o como la escama de un verde reptil.

Aún ciñen del bosque las trémulas hojas
del muerto crepúsculo el áureo joyel;
y por las cortezas plomizas o rojas
pululan insectos de verde broquel.

Los cardos agitan sus testas violáceas,
crinadas de espinas, con hondo pesar;
y sobre los vientres de rocas grisáceas
lagartos broncíneos se ven ondular.

Sus tiernos encajes remecen las frondas,
con su áurea verdura tiñendo el confín;
y un glauco arroyuelo desliza sus ondas
de guijas azules por sobre el verdín.

Exhalan las hierbas un hálito amargo,
que sube a los ojos e incita a llorar.
Y hendiendo del éter el hondo letargo,
un vuelo de cuervos se avista pasar.

¡Oh pérfida cíngara! Este es el momento.
La sombra es verdosa, la luz funeral.
¡Levanta a los cielos tu copa de argento,
y esparce una lluvia de flores del mal!

Tu espíritu es algo como una guirnalda
donde abre la orquídea y el lirio gentil;
tus ojos son verdes como una esmeralda...
o como la escama de un verde reptil.

Tus labios sangrientos de lúbrica arista
evocan los fuegos de un torvo arrebol;
y son tus ojeras color de amatista
impúdicas violas borrachas de sol.

Tus rojos cabellos, que mi estro celebra,
abrasan el alma con su ígneo matiz;

y excitan tus muslos de piel de culebra
espasmos insanos de amor infeliz.

Tu carne es de rosa, tus ojos de verde,
tu boca de brasa, tu pecho de mal...
¡Oh, ven; que el deseo los nervios me muerde
y siento en los labios un fuego infernal!

Serán nuestro tálamo abrojos y lilas,
debajo las quejas de un sauce llorón,
en donde los búhos de glaucas pupilas
elevan su fúnebre extraña canción.

¡Oh pálida cíngara! Este es el momento.
La sombra es verdosa, la luz funeral.
¡Pues alza a los cielos tu copa de argento
nimbada de llamas y flores del mal!

MANUEL MAGALLANES MOURE

1878 - 1924

Chile. Poeta del amor, también lo fue del paisaje agreste, para seguir en la letra una de sus inclinaciones temperamentales más constantes, la pintura. Es modernista temperado, porque si bien hace uso de la plena libertad de inspiración que dominó dentro del movimiento, de otra parte su forma, muy delicada y tierna, carece de casi todos los refinamientos que fueron de uso en sus días.

Rubén Darío insertó colaboración de Magallanes Moure en *Mundial Magazine,* con lo que desde entonces difundió su nombre en el ámbito internacional.

TARDE DE ENERO

En la tibieza del ambiente
vaga el aroma del jazmín;
como un ensueño, lentamente,
cae la tarde en el jardín.

Por entre las ramas obscuras
se abre el cielo crepuscular
en cuyas diáfanas honduras
comienza un astro a palpitar.

Solo estoy en la vieja casa
con mi tristeza y con mi amor.
Una furtiva sombra pasa
por el vetusto corredor.

Como una flor de luz, la estrella
desplegando sus rayos va.
Pienso: Esta tarde ¿qué hará ella?
Lejos de mí ¿qué sentirá?

De aquella blanca flor del cielo
quizás sus ojos van en pos...
Quizá ella siente este hondo anhelo
de dormir en la paz de Dios.

Cierro mis ojos dulcemente.
Un grillo canta en el jardín.
En la tibieza del ambiente
diluye su aroma el jazmín.

LA CANCION DEL RECUERDO

Agua verde, agua profunda,
misteriosa agua del mar,
¿podré olvidar el encanto
de su mirar?

Blanca espuma que al sol muestras
leve tinte ruboroso,
¿podré olvidar la blancura
de su rostro?

Olas que amorosamente
rodeáis al fiero peñasco,
¿podré olvidar la presión
de sus brazos?

Brisa que por la hondonada
vas cantando tu canción,
¿podré olvidar el arrullo
de su voz?

Velo de púrpura ardiente
que el sol tendió en el ocaso,
¿podré olvidar la flor roja
de sus labios?

Miel sabrosa y perfumada
que a la flor robó el insecto,
¿podré olvidar la dulzura
de sus besos?

Mar azul, mar dilatado,
¡oh mar sin limitación!
Mi alma ha de hacerse infinita
para contener mi amor.

APAISEMENT

Tus ojos y mis ojos se contemplan
en la quietud crepuscular.
Nos bebemos el alma lentamente
y se nos duerme el desear.

Como dos niños que jamás supieron
de los ardores del amor,
en la paz de la tarde nos miramos
con novedad de corazón.

Violeta era el color de la montaña.
Ahora azul, azul está.
Era una soledad el cielo. Ahora
por él la luna de oro va.

Me sabes tuyo, te recuerdo mía.
Somos el hombre y la mujer.
Conscientes de ser nuestros, nos miramos
en el sereno atardecer.

Son del color del agua tus pupilas:
del color del agua del mar.
Desnuda, en ellas se sumerge mi alma,
con sed de amor y eternidad.

ALMA MIA

Alma mía, pobre alma mía,
tan solitaria en tu dolor:
enferma estás de poesía,
alma mía llena de amor.

Crees que la vida es un cuento,
crees que vivir es soñar...
Pobre alma sin entendimiento,
hora es ésta de razonar.

Ve que la vida no es aquella
que te forjaste en tu candor:
la vida con amor es bella,
pero es más bella sin amor.

Ve, alma mía, pobre alma mía,
ve y empéñate en comprender
que el amor es melancolía
y es amargura la mujer.

Sin amor y sin sentimiento
serás fuerte, podrás triunfar.
Alma, la vida no es un cuento;
alma: el vivir no es el soñar.

Que en ti el vivir no deje huella
ni de placer ni de dolor:
la vida con amor es bella,
pero es más bella sin amor.

Sé cauta, sé diestra, sé fría:
no te dejes enternecer
por tu amor a la poesía,
que es el amor a la mujer.

Coge, alma, la flor del momento
y no la quieras conservar.
Si se marchita, échala al viento,
que lo demás fuera soñar.

Esta mujer es como aquélla:
todas son fuente de dolor.
Alma mía, la vida es bella,
pero es más bella sin amor.

Y mi alma dijo: "En mi embeleso
oí tu voz como un cantar.
¿Sabes? Soñaba con un beso
robado a orillas de la mar."

¿RECUERDAS?

¿Recuerdas? Una linda mañana de verano.
La playa sola. Un vuelo de alas grandes y lerdas.
Sol y viento. Florida la mar azul. ¿Recuerdas?
Mi mano suavemente oprimía tu mano.

Después, a un tiempo mismo, nuestras lentas miradas
posáronse en la sombra de un barco que surgía
sobre el cansado límite de la azul lejanía
recortando en el cielo sus velas desplegadas.

Cierro ahora los ojos, la realidad se aleja,
y la visión de aquella mañana luminosa
en el cristal oscuro de mi alma se refleja.

Veo la playa, el mar, el velero lejano,
y es tan viva, tan viva la ilusión prodigiosa,
que a tientas, como un ciego, vuelvo a buscar tu mano.

LAS VENTANAS

Maestro constructor, ¿crees que las ventanas
serán muchas? Pues yo pienso que no son tantas
como las que debiera poseer esta casa.
Si antes amé la sombra, fue porque había en mi alma
la inquietud de un secreto, la angustia de una falta.
Si antes amé la sombra, fue por creer que estaba
en ella mi ventura.

Yo iba a tientas y a cada
paso subir creía por la ilusoria escala
que a la dicha conduce, y bajaba, y bajaba...
Yo iba a tientas, yo iba guiado por la cálida
presión de una menuda mano, mano adorada,
mano a cuyo recuerdo mi voluntad desmaya.
¿Guiado? ¡No! Yo iba fiebrosamente, en alas
de una ilusión, de un vértigo, de una pasión, de un ansia!
Me impelía una fuerza interior, me arrastraba
un impulso invencible y se me iba el alma
como se va en el viento la enloquecida llama!

La sombra, y en la sombra los labios de la amada
suaves, suaves, con ese vivo sabor que nada
puede igualar, con ese sabor que en vano tratas
de definir, poeta.
¿Dulzura? No. Te engañas.
¡No son dulces los besos de la mujer amada!

Lentamente, en la sombra, con deliciosa calma,
mis labios en sus labios dejé, por ver si hallaba
la expresión milagrosa, la divina palabra
que dijera el sabor de un beso, y la increada
expresión todavía la busco, sin hallarla.

No es dulzura, no es miel, no es néctar. Son opacas
esas voces, y el beso como una luz irradia,
luz que hace transparentes nuestras oscuras almas.

Miel y luz y placer infinito y nostalgia
de un cielo inaccesible, de una gloria lejana.
Sed que implacablemente devora las entrañas,
sed que con la embriaguez del beber no se sacia
sino que se acrecienta; sed que sólo se apaga
cuando en la dulce copa cae en gotas amargas
el desengaño...

Luz, dulzura, sed, todo eso,
y locura... ¡oh qué viva locura la del beso!
La sombra y en la sombra sus labios...

—¿Las ventanas?
Perdóname, nuestro constructor, olvidaba...

¿Creíste que eran muchas? Pienso que no son tantas
como las que debiera poseer esta casa.
Si antes amé la sombra, hoy la luz me hace falta.
Quiero que el primer rayo del sol entre mi estancia
y que se extinga en ella su última mirada.
En la sombra, maestro, germinó mi desgracia:
puede ser que a la luz mi ventura renazca.
¿A qué ir tras la sombra? — Llegará, sin buscarla.
Llegará con la tarde y ascenderá, pausada...
Y al fin vendrá esa noche que no tiene mañana.

LUIS LLORENS TORRES

1878 - 1944

Puerto Rico. En su patria se le recuerda ante todo por sus poesías de entonación folklórica, donde logró verdaderos prodigios de gracia y de finura pero fue, asimismo, en una etapa juvenil, modernista, como se prueba con la *Revista de las Antillas* (1913) que fundó y mantuvo con su colaboración asidua.

GERMINAL

¿Qué me dicen desplegadas las nubes,
esas nubes de tus tristes ojeras?
¿Qué me dicen desquiciadas las curvas,
esas curvas de tus nobles caderas?

Qué me dicen tus mejillas tan pálidas,
tus dos cisnes ahuecando su encaje,
tus nostalgias, tus volubles anhelos
y el descuido maternal de tu traje?

Oh, yo escucho cuando tocas a risa
un alegro que del cielo me avisa.
Y vislumbro cuando el llanto te anega,

en los lagos de tus ojos en calma,
las estelas de la nao de mi alma
que en el cosmos de tu sangre navega.

CAFE PRIETO

Se le cae el abrigo a la noche.
Ya el ártico Carro la cuesta subió.
Río abajo va el último beso
caído del diente del Perro Mayor.

Se desmaya en mis brazos la noche.
Su Virgo de oro llorando se fue.
Los errantes luceros empaña
el zarco resuello del amanecer.

Se me muere en los brazos la noche.
La envenena el zumoso azahar.
Y la tórtola azul en su vuelo,
una azul puñalada le da.

La neblina se arisca en el monte.
Las hojas despierta rocío sutil.
Y en la muda campana del árbol,
el gallo repica su quiquiriquí.

Al reflejo del vaho del alba,
el pez en la onda, la abeja en la flor,
con la fe de su crédulo instinto,
descubren la miga segura de Dios.

De la choza que está en la vereda,
un humito saliendo se ve.
La ventana se abre. Y la doña
me da un trago de prieto café.

MANUEL UGARTE

1878 - 1951

República Argentina. Su obra poética es sólo de la juventud, pues Ugarte optó por hacerse propagandista de algunas ideas políticas. Adversario de los Estados Unidos, proclamó el peligro que encerraba la Doctrina Monroe. Anciano ya, volvió a las letras, pero sólo a la prosa, porque había olvidado las exigencias del verso.

EL TALLER

Sangra sobre los vidrios un sol en agonía,
la sombra en grandes manchas inunda los divanes,
y en el taller estrecho donde el pintor se hastía,
galopan incorpóreas lesiones de titanes.

Monótona y serena, la gran Melancolía
le finge perspectivas bordeadas de arrayanes,
y en el desmayo lento con que se muere el día,
naufragan incoloras bandadas de faisanes.

Desnuda la modelo, como una Venus griega,
desde la enhiesta cumbre de su impudor sonríe,
y en un lecho de sombra con languidez se entrega.

El sol, para dorarla, su última flecha arranca,
y corre la mirada de luz que se deslíe,
como una pluma de oro sobre la carne blanca.

BURBUJAS DE LA INFANCIA

¡Cuán lejos estamos de los infantiles
ensueños de gloria, de dicha y placer!
Las gaitas antiguas y los tamboriles,
los juegos incautos, las risas de ayer,
se borran y escapan en vagos perfiles...
¡Hacia ellos nuestra alma quisiera volver!

La casa, la escuela, la verde campiña,
los vagos estudios, la sed de gozar,
y las amistades que empiezan en riña
y los amoríos sin saber amar...
¡Cuán lejos! ¡Cuán lejos está aquella niña
con quien nunca solos pudimos hablar!

La madre muy joven, el padre muy fuerte,
la luna llorando sobre un mandolín,
la iglesia muy grande, muy lejos la muerte,
jazmines y rosas en todo el jardín,
y en nuestra esperanza la estrella que advierte
venturas y triunfos, sin tregua ni fin...

¡Cuán lejos estamos de los infantiles
ensueños de gloria, de dicha y placer!
Las gaitas antiguas y los tamboriles,
los juegos incautos, las risas de ayer,
se borran y escapan en vagos perfiles...
¡Hacia ellos nuestra alma quisiera volver!

CARLOS PEZOA VELIZ

1879 - 1908

Chile. Una parte de su obra es modernista; en la otra, atiende el autor a compartir mediante la comunión del verso los dolores de los humildes, cuya vida siguió con interés tanto en las labores de la tierra como en la explotación de los salitrales. Por su prematuro fallecimiento, su obra quedó para póstuma y fue recogida por Ernesto Montenegro, Leonardo Pena y Armando Donoso.

EL BRINDIS DEL BOHEMIO

No escupáis a los beodos que perecen
aturdiendo en el vino sus dolores:
si odiáis a la embriaguez, odiad las flores
que ebrias de sol en la mañana crecen.

Los ojos de las vírgenes ofrecen
la sublime embriaguez de los amores,
y los besos son báquicos licores
que al caer en los labios... estremecen!

Embriagada de luz, Ofelia vaga
en las sombras de un campo desolado;
el sacerdote en el altar se embriaga

con la sangre de Dios crucificado,
y el poeta mirando de hito en hito
la gran pupila azul del infinito!

CUERDAS HERIDAS

A una rubia

Semejante al fulgor de la mañana
en las cimas nevadas del oriente,
sobre el pálido tinte de tu frente
destácase tu crencha soberana.

Al verte sonreír en la ventana
póstrase de rodillas el creyente,
porque cree mirar la faz sonriente
de alguna blanca aparición cristiana.

Sobre tu suelta cabellera rubia
cae la luz en ondulante lluvia.
Igual al cisne que a lo lejos pierde

su busto en sueños de oriental pereza,
mi espíritu que adora la tristeza
cruza soñando tu pupila verde.

A una morena

Tienes ojos de abismo, cabellera
llena de luz y sombras como el río
que deslizando su caudal sombrío,
al beso de la luna reverbera.

¡Nada más cimbrador que tu cadera,
rebelde a la presión del atavío!
Hay en tu sangre perdurable estío
y en tus labios eterna primavera.

¡Yo quiero sucumbir en tu regazo
cuando me dé la muerte el gran abrazo!
¡Expirar, como un dios, lánguidamente,

teniendo tus cabellos por guirnalda,
para que al roce de tu carne ardiente
se estremezca el cadáver en tu falda!

NOCHE LIRICA

Cual serpiente de plata arrastra el río
sus escamas movibles. La espesura
duerme como una enorme gata oscura.
Muerde las carnes, como un perro, el frío.

La noche, recostada en el vacío,
da bostezos de luz. Cual bestia impura
hace la sombra gestos de locura.
La luna va a una cita de amoríos.

Toca una marcha funeral el viento.
Citas de amor la oscuridad recibe
y oye rumor de besos y desmayos . . .

¡Y sobre el bloque azul del firmamento
estrofas soberanas Dios escribe
con su pluma de luz, hecha de rayos!

SI, MUCHACHA

Reiré mientras impulses
mi barca que ya se pierde,
niña de ojos agridulces
como granos de uva verde.

Y reiré mientras coja
en el dolor mi poesía,
niña de boca más roja
que un corazón de sandía.

Reiré mientras me enardezca
tu boca que besa y muerde,
niña tentadora y fresca
con sabor a fruta verde...

Mientras pueda sin agravios
comer en dulces antojos,
las sandías de tus labios
y las uvas de tus ojos.

Sí, muchacha, reiré,
en tanto vea en mi lecho
las palomas de tu pecho
y los cisnes de tus pies...

CONTRA SOBERBIA, HUMILDAD

Juan, el poeta altanero,
me hizo una oda agrisonante
en que la frase era guante
y la intención era acero.

La celebró el pueblo entero
y aún un genio principiante
lanzó un cínico ¡Adelante!
en estilo chocarrero.

Yo lo provoqué. Al palenque
llegó un pobre diablo enclenque,
un plagio de hombre, un simplón.

Y entonces ¡Dios adorable!
sentí la incomensurable
grandiosidad del perdón.

TARDE EN EL HOSPITAL

Sobre el campo el agua mustia
cae fina, grácil, leve;
con el agua cae angustia:
llueve...

Y pues solo en amplia pieza
yazgo en cama, yazgo enfermo,
para espantar la tristeza,
duermo.

Pero el agua ha lloriqueado
junto a mí, cansada, leve.
Despierto sobresaltado:
llueve...

Entonces, muerto de angustia
ante el panorama inmenso,
mientras cae el agua mustia,
pienso.

GREGORIO REYNOLDS

1879 - 1951

Bolivia. La porción modernista de su obra poética es reducida, pues más de una vez le interesaron los temas indígenas y aún el canto narrativo, de entonación vecina a la epopeya, como cuando quiso asociarse al centenario de la constitución de la república boliviana, en 1925. Así y todo, captó muy bien la intención del Modernismo en unas cuantas composiciones logradas con acierto.

EPITALAMIO

Junto a la linfa, entre laureles rosa,
insinúa su halago el cisne augusto,
y bajo el palio del propicio arbusto
entreabre los muslos de la diosa.

El cuerpo tibio y palpitante posa
como en la comba clásica de un busto,
sobre el seno pentélico, venusto,
donde la línea ondula victoriosa.

Y en el instante en que pasmado queda,
y alarga, serpentino, el cuello suave
por los rígidos pechos, siente Leda

en su entraña la olímpica simiente,
y absorta de placer, oprime al ave
que se extenúa cadenciosamente.

NO ANALICES, POETA...

No analices, poeta... Vive, aspira,
deja el alma su equívoca ventura,
si estar enamorada se figura
de una mujer que finge que suspira.

Que te ciegue el amor, y que tu lira
eleve un himno a la ilusión perjura.
¿Qué te importa el futuro y su impostura,
si hasta para ti mismo eres mentira?

Si en la eterna promesa de la hora
que va huyendo, te ofrece, tentadora,
la hermosura su rosa de alborada,

engaña a la embustera Primavera,
pues acaso a mitad de la jornada,
se encontrarán la muerte y tu quimera.

PUBERTAD

En el jardín recóndito de Armida,
bajo el viril deseo que le acosa,
para el adolescente es una diosa
la mujer, la deseada, la temida.

Al núbil corazón infunde vida,
como Febo al capullo de una rosa,
la sensación medrosa, temblorosa
y deliciosamente presentida.

Con su ardiente y salobre olor a siembra,
a sangre, a bosque, a mar alborotada,
esfinge viva yérguese la hembra,

y sonríe al mancebo, que se abate
al verla de peligros erizada
como una fortaleza en el combate.

FINAL DE FIESTA EN OTOÑO

En un compás pomposamente grave,
las manos de marfil de un esqueleto
interpretando van un minueto
en las gastadas teclas de una clave.

Al vuelo de las últimas cadencias,
entre pausados ademanes
y amaneradas reverencias,
se esfumán damas y galanes.

Pablo Verlaine, el de tullida pierna,
frente a su copa en nébula de absinto,
ve deslizarse a furto en la taberna
a ese cortejo del placer extinto.

Violines. Luna todavía,
luna de embrujos, deslustrada luna.
Lluvia en el corazón. Melancolía
del París del poeta sin fortuna.

Se apaga en el fogón la última chispa.
Con sus fantasmas, hace rato,
se fue Lelián ... ¿Qué hay? ¿Por qué se crispa,
electrizado de pavura, el gato?

Es que acudiendo a misteriosas citas,
detrás del príncipe don Diablo,
con Vilón y Verlaine, sombres precitas,
y con Rimbaud, efebo, ha vuelto Pablo.

Para hablar de la gloria y del olvido,
del porvenir y del pasado,
con Satanás dos sombras han venido
para hablar con dos sombras que han pasado...

VERSALLES ILUSORIO

Ante vuestros encantos señoriales
evoco los Trianones pastoriles,
y os veo divagar por sus pensiles
seguida de aristócratas zagales.

Antes que sus aceros los rivales
entrecruzan sus sátiras sutiles,
y prelados galantes y gentiles
en vuestro honor componen madrigales.

Y en tanto que en idílicos poemas
de estrofas rutilantes como gemas
os proclaman dechado de hermosura,

llora la Pompadour en la glorieta,
porque Boucher requiere su paleta
para inmortalizar vuestra figura.

PORFIRIO BARBA JACOB

1880 - 1942

Colombia. Uno de los seudónimos, y el más difundido, del poeta colombiano Miguel Angel Osorio, que abandonó muy joven su país natal y vivió en Honduras, México y otros países. Publicó también bajo el nombre de Ricardo Arenales.

Su poesía conserva algo de modernista en la decoración, y se distingue por lo intensa, robusta, sensual, si bien expresa con mucha frecuencia el escepticismo de un hombre a quien hería cotidianamente el espectáculo del mundo.

TRISTE AMOR

No hay nada grande, nada, sino la Muerte... En vano
querrá un ardiente Numen, tras líricos empeños,
aprisionar la turba de los silfos risueños
o descubrir las líneas de un rostro sobrehumano.

Las cosas son la espuma del tiempo en nuestra mano;
la gloria es eco de una proeza urdida en los ensueños;
joyeles y palacios de exóticos diseños
son fábrica de niebla, ruido del océano...

Con todo, Cintia mía, en la noche nevada,
junta a mi carne lívida tu carne sonrosada...
y un hijo rasgue otrora las brumas del camino.

¡Si es crimen dar renuevos a la materia obscura,
yo purgaré en mí mismo la erótica locura
de dos lobeznos tristes que amamantó el Destino!

SAPIENCIA

Nada a las fuerzas próvidas demando,
pues mi propia virtud he comprendido.
Me basta oír el perennal ruido
que en la concha marina está sonando.

Y un lecho duro y un ensueño blando;
y ante la luz, en vela mi sentido
para advertir la sombra que al olvido
el sér impulsa y no sabemos cuándo...

Fijar las lonas de mi móvil tienda
junto a los calcinados precipicios
de donde un soplo de misterio ascienda;

y al amparo de númenes propicios,
en dilatada soledad tremenda
bruñir mi obra y cultivar mis vicios.

SOY COMO ASCANIO

Sentí rugir la envidia, y entre la noche oscura
ella amargó un instante los frutos de mi vida;
mas alzo bravamente mi lámpara prendida
y trueco en claras mieles mi horror y mi amargura.

Que el envidioso hiera. Su mismo golpe augura
el canto de la alondra que entre mi pecho anida...
Yo, tras el golpe ciño la púrpura encendida,
y sé que mi realeza la plebeyez tortura.

Y ensayo mi sonrisa —¡la equívoca y discreta!—
para enseñar al zafio que, por virtud secreta,
la flor del alma mía conserva su perfume;

y que aún envuelto en llamas por la pasión artera,
soy como Ascanio, el héroe de rútil cabellera,
que arde en rojizo fuego... pero no se consume!

ELEGIA DE SEPTIEMBRE

Cordero tranquilo, cordero que paces
tu grama, y ajustas tu ser a la eterna armonía:
hundiendo en el lodo las plantas fugaces
huí de mis campos feraces
un día.

Ruiseñor de la selva encantada
que preludias el orto abrileño:
a pesar de la fúnebre Muerte y la sombra y la nada,
yo tuve el ensueño.

Sendero que vas del alcor campesino
a perderte en la azul lontananza:
los dioses me han hecho un regalo divino:
la ardiente esperanza.

Espiga que mecen los vientos, espiga
que conjuntas el trigo dorado:
al influjo de soplos violentos,
en las noches de amor he temblado.

Montaña que el sol transfigura,
Tabor al febril mediodía,
silente deidad en la noche estelífera y pura:
¡nadie supo en la tierra sombría
mi dolor, mi temblor, mi pavura!

Y vosotros, rosal florecido,
lebreles sin amo, luceros, corpúsculos,
escuchadme esta cosa tremenda: ¡He vivido!
He vivido con alma, con sangre, con nervios, con músculos,
y voy al olvido...

LA ESTRELLA DE LA TARDE

Un monte azul, un pájaro viajero,
un roble, una llanura,
un niño, una canción... Y, sin embargo,
nada sabemos hoy, hermano mío.

Bórranse los senderos en la sombra;
el corazón del monte está cerrado;
el perro del pastor trágicamente
aúlla entre las hierbas del vallado.

Apoya tu fatiga en mi fatiga,
que yo mi pena apoyaré en tu pena,
y llora, como yo, por el influjo
de la tarde traslúcida y serena.

Nunca sabremos nada...

¿Quién puso en nuestro espíritu anhelante,
vago rumor de mares en zozobra,
emoción desatada,
quimeras vanas, ilusión sin obra?
Hermano mío, en la inquietud constante,
nunca sabremos nada...

¿En qué grutas de islas misteriosas
arrullaron los Númenes tu sueño?
¡Quién me da los carbones irreales
de mi ardiente pasión, y la resina
que efunde en mis poemas su fragancia?
¡Qué voz süave, qué ansiedad divina
tiene en nuestra ansiedad su resonancia?

Todo inquirir fracasa en el vacío,
cual fracasan los bólidos nocturnos
en el fondo del mar; toda pregunta

vuelve a nosotros trémula y fallida,
como del choque en el cantil fragoso
la flecha por el arco despedida.

Hermano mío, en el impulso errante,
nunca sabremos nada...

Y, sin embargo...

¿Qué mística influencia
vierte en nuestros dolores un bálsamo radiante?
¿Quién prende a nuestros hombros
manto real de púrpuras gloriosas,
y a quién nuestras llagas
viene y las unge y las convierte en rosas?

Tú, que sobre las hierbas reposabas,
de cara al cielo, dices de repente:
—"La estrella de la tarde está encendida".
Avidos buscan su fulgor mis ojos
a través de la bruma, y ascendemos
por el hilo de luz...

Un grillo canta
en los repuestos musgos del cercado,
y un incendio de estrellas se levanta
en tu pecho, tranquilo ante la tarde,
y en mi pecho en la tarde sosegado...

CANCION DE LA VIDA PROFUNDA

El hombre es una cosa vana,
variable y ondeante...
MONTAIGNE

Hay días en que somos tan móviles, tan móviles,
como las leves briznas al viento y al azar.
Tal vez bajo otro cielo la gloria nos sonríe.
La vida es clara, undívaga y abierta como el mar.

Y hay días en que somos tan fértiles, tan fértiles,
como en abril el campo, que tiembla de pasión:
bajo el influjo próvido de espirituales lluvias,
el alma está brotando florestas de ilusión.

Y hay días en que somos tan plácidos, tan plácidos...
—¡niñez en el crepúsculo!, ¡lagunas de zafir!—
que un verso, un trino, un monte, un pájaro que cruza,
y hasta las propias penas nos hacen sonreír.

Y hay días en que somos tan sórdidos, tan sórdidos,
como la entraña oscura de oscuro pedernal:
la noche nos sorprende con sus profundas lámparas,
en rútilas monedas tasando el Bien y el Mal.

Y hay días en que somos tan lúgubres, tan lúgubres,
que nos depara en vano su carne la mujer:
tras de ceñir un talle y acariciar un seno,
la redondez de un fruto nos vuelve a estremecer.

Y hay días en que somos tan lúgubres, tan lúgubres,
como en las noches lúgubres el canto del pinar.
El alma gime entonces bajo el dolor del mundo,
y acaso ni Dios mismo nos puede consolar.

Mas hay también, ¡oh Tierra!, un día... un día... un día
en que levamos anclas para jamás volver...
Un día en que discurren vientos ineluctables.
¡Un día en que ya nadie nos puede retener!

FUTURO

Decid cuando yo muera (¡y el día esté lejano!):
Soberbio y desdeñoso, pródigo y turbulento,
en el vital deliquio para siempre insaciado,
era una llama al viento...

Vagó, sensual y triste, por islas de su América;
en un pinar de Honduras vigorizó el aliento;
la tierra mexicana le dio su rebeldía,
su libertad, sus ímpetus... Y era una llama al viento.

De simas no sondadas subía a las estrellas:
un gran dolor incógnito vibraba por su acento;
fue sabio en sus abismos —y humilde, humilde, humilde—,
porque no es nada una llamita al viento...

Y supo cosas lúgubres, tan hondas y letales,
que nunca humana lira jamás esclareció,
y nadie ha comprendido su trémulo lamento...
Era una llama al viento y el viento la apagó.

LEONIDAS N. YEROVI

1881 - 1917

Perú. En el flexible talento literario de Yerovi, tronchado a deshora por la muerte, cupo una etapa modernista en la cual unos pocos poemas dejan ver la exquisita formación de este poeta.

LA SEÑORITA ILUSION

La inextinguible damita
que llevo en el corazón
es gentil y es menudita
y se llama (por bonita)
la señorita Ilusión.

Tiene los ojos traidores
y tiene labios traviesos
y, exaltando sus primores,
dos hoyuelos tentadores
como dos nidos de besos.

Mínima, breve, hechicera,
sólo sabe lo que vale
quien en la calle la viera,
pues cuando a la calle sale
parece que el sol saliera.

Todo su fulgor lo alumbra;
sus ojos claros y bellos
tienen tan suaves destellos
que yo busco la penumbra
para que me alumbren ellos.

Tan breve es la señorita
que cabría en su bolsón,
y cuando sale a la cita
todos dicen: ¡Qué bonita
la señorita Ilusión!

Cuando sale de paseo,
yo la sigo por recreo
cercana y golosamente
gozándome en el deseo
que va encendiendo en la gente.

Y si la requiebra alguno
siento el deseo bravío
de declararle al muy tuno:
—¡Pero, señor, qué importuno!
¡Pero, señor, si eso es mío!

¡Ah, la bella señorita
que llevo en el corazón!
Si me olvida, Dios permita
que comparezca a su cita
la señorita Ilusión.

PECADORA

En medio a la borrasca de la orgía
se levantó la horizontal y dijo:
—Bebo... por el sagrado crucifijo
que de mi pecho en la niñez pendía.

Por el supremo instante de agonía
del ser que el ser me diera y me maldijo;
por el rubor quemante de mi hijo
cuando me llama a solas "madre mía".

Por las amargas hieles de mis gozos,
por el frívolo amante que me besa,
por la alegre reunión que me acompaña...

Y explosionando el pecho de sollozos
se detuvo. Y quebró contra la mesa
la finísima copa de champaña.

SONETO

Con un ir y venir de ola de mar
así quisiera ser en el querer:
dejar a una mujer para volver,
volver a otra mujer para empezar.

Golondrina de amor en anidar,
huír en cada otoño del placer,
y en cada primavera aparecer
con nuevas, tibias alas que brindar.

Esta... aquélla... la otra..., confundir
de tantas dulces bocas el sabor,
y, al terminar la ronda, repetir,

y no saber jamás cuál es mejor,
y siempre ola de mar ir a morir
en sabe Dios qué playa del amor.

RENE LOPEZ

1882 - 1909

Cuba. Desgracias íntimas irremediables abreviaron la vida de este poeta cubano, que captó en algunas composiciones la esencia del Modernismo en forma muy lograda y feliz. De joven mostró alguna influencia de Casal, lo que se explica dada la identidad nacional y se justifica, por la inmarcesible belleza de las composiciones de aquel poeta, a quien hemos dejado entre los precursores del movimiento modernista.

CUADRO ANDALUZ

Bajo el dosel movible de vid jugosa
donde cuelgan racimos de moscateles,
riendo las manolas y churumbeles
celebran una juerga jacarandosa.

La rubia manzanilla corre espumosa
tiñiendo de amarillo blancos manteles,
y resuenan mil voces y cascabeles,
y es la luz más alegre y esplendorosa.

Se escuchan castañuelas y carcajadas,
chasquidos de cristales, risas, palmadas,
y suben por los aires anchos sombreros.

Y al surgir de los pechos tristes canciones
las guitarras preludian con sus bordones
las notas sugestivas de los boleros.

EL ESCULTOR

La piedra fue la madre de la escultura,
el helado granito fue su profeta,
el blasonado bronce su gran poeta
y la arenosa arcilla su vestidura.

Mi cincel es de hierro, pero fulgura,
como ante el sol pasando veloz saeta;
¡soy el Dios de las artes, soy el atleta
cincelador soberbio de la hermosura!

El tiempo no destruye mis obras santas;
del Moisés gigantesco bajo las plantas
el hombre se estremece, duda, palpita . . .

¡Yo soy el que de bloques hechos pedazos
hago surgir a fuerza de martillazos
las impecables curvas de la Afrodita!

VICTOR DOMINGO SILVA

1882 - 1960

Chile. En la obra lírica de este autor, enorme desde el punto de vista de los temas tratados, hay una faceta modernista; pero no es la única. Atraído por el espectáculo de la vida de su pueblo, lo cantó en la paz y en la guerra, con la aspiración notoria de llegar a ser el "Poeta Nacional de Chile", aspiración que sin duda logró. Las producciones modernistas son, pues, de la juventud, y se caracterizan por la frescura y la espontaneidad.

LA FUENTE

Hay en mi corazón una fuente infinita
de límpido raudal.
Mas nadie, ni un perdido viajero, la visita:
sólo los astros besan, llorando, su cristal.

Hay en mi corazón una fuente serena
brindándose a merced.
De agua pura está siempre hasta los bordes llena,
mas nadie a sus orillas viene a apagar la sed.

Hay en mi corazón una fuente secreta
que canta con fervor.
Pero nadie la escucha, ni sigue ni interpreta
su música... ¡ni un eco repite su clamor!

¿Nunca hasta mi retiro torceréis las pisadas?
¿Nunca pondréis oídos a mi canción doliente?
¿No me darán un rayo de amor vuestras miradas?
¿De ansia por vuestros besos se secará mi fuente?

PERFIL

Faltabas tú en mi vida, tú con todo
lo que fluye de ti. Tú, con tu gracia
y con tu idealidad. Tú con tu modo
y tu fina expresión de aristocracia.

Tú con el ritmo de tu sangre ardiente,
con tus extraños ímpetus nerviosos,
con tu voz cariciosa y confidente
y tus inmensos ojos dolorosos.

Tú con la sed de amar que te hace inerme
abandonarte al labio que te espera;
con el celoso afán que en tu alma duerme...
pero que tiene un despertar de fiera.

Tú divina y humana: femenina!
Tú, fuerte a un mismo tiempo y delicada;
con algo, en el zarpazo, de felina
y algo de angelical en la mirada.

Tú, indefinible y rara, y sensitiva,
y superior! Capaz de ser impura
y virtuosa a la vez, fácil y esquiva,
y muriendo de miedo y de ternura...

Así te presentí, y así has venido,
rayo de luz de sol y luz de luna,
dulce y consolatriz como el olvido,
soñadora y sensual como ninguna.

Gracias te da mi corazón. Tú fuiste
alondra matinal, a cuyo acento
huyó el espectro de la noche triste
en que iba a sucumbir mi pensamiento.

¡Gracias por tu milagro, Encantadora!
Yo el extraño, el nostálgico, el sombrío,
te he de amar mientras sepas, como ahora,
matar a besos mi incurable hastío.

¡Huyeron ya los tenebrosos ceños!
¡Huyó la mueca torva y recogida!
¿Quién como tú para encender mi sueños?
¿Quién como tú para alegrar mi vida?

BALADA DEL VIOLIN

Aquel mozo enfermo y flaco
tocaba el violín al sol
por un sorbo de alcohol
o un puñado de tabaco.

Y buen dar! cuando tocaba
algún rondel español
o alguna sonata eslava...

Aquel mozo enfermo y flaco
salía a buscar el sol
y a llenar su viejo saco,
por un sorbo de alcohol
o un puñado de tabaco.

Salía a matar su esplín
cuando tocaba el violín,
cuando como un caracol
salía a buscar el sol...

Aquel mozo enfermo y flaco
murió tocando el violín.
¿Qué queréis? Halló su fin
en un sorbo de alcohol
y un puñado de tabaco.

Le hallaron tendido al sol
y abrazado a su violín.

DIALOGO

—Poeta, ¿qué adoras?
—Oh, los espejismos de aquellas auroras
tan vagas y extrañas como encantadoras...
Oh, el raudo desfile de todas las horas...

—Poeta, ¿qué sueñas?
—Oh, los grandes ojos, las bocas risueñas,
los dientes perlados, las manos pequeñas,
los largos cabellos de trenzas sedeñas ..

—Poeta, ¿qué cantas?
—Oh, el sonoro estruendo de locas gargantas!
oh, el peso divino de tantas y tantas
cadenas de flores que arrastro a mis plantas...

—Poeta, ¿qué lloras?
—Oh, los espejismos de aquellas auroras
tan crueles y tristes como engañadoras...
Oh, el lento desfile de todas las horas...

RICARDO MIRO

1883 - 1940

Panamá. Con alguna obra en prosa, cuentos, novelas, y con versos inspirados en la realidad física de su patria, Miró es, sin embargo, uno de los principales modernistas centroamericanos, batallador inclusive, cual se ve en su revista *Nuevos Ritos* (1907).

VERSOS AL OIDO DE LELIA

Oyeme, corazón. En cada rama
del bosque secular se esconde un nido
o una dulce pareja que se ama.

Cada una rosa del rosal resume
un corazón, feliz o dolorido,
que de amor en la brisa se consume.

La estrella que nos manda sus reflejos
no hace más que volver con su luz pura
los besos que le envían desde lejos.

Todo tiembla de amor... Hasta la piedra
a veces se estremece de ternura
y se vuelve un jardín bajo la yedra.

No importa ser mujer o ser paloma;
ser rosa de Amatonte, estrella o palma,
importa tener alma y dar esa alma
en risas, en fulgores, o en aroma.

Triunfa el Amor sobre la Muerte. Nacen
las rosas para amar, y hasta las rosas
cuando al viento, marchitas, se deshacen,
se vuelven un tropel de mariposas.

El suspiro es anhelo que, escapado
del corazón, se va a volar errante
buscando una ilusión que ya ha pasado
o algún sueño de luz que está delante.

Pues bien, la brisa pasa en blandos giros,
y no puede medir tu pensamiento
la interminable tropa de suspiros
que viaja en cada ráfaga de viento.

Tú que tienes los ojos soñadores
como una noche tropical, asoma
tu corazón a todos los amores
y sé estrella, sé flor o sé paloma.

Y ya verán tus ojos asombrados
ante la tarde que en el mar expira,
cuán hermosa es la tarde, si se mira
con dos ojos que están enamorados.

BRISAS DE PRIMAVERA

Cuando pasa Mimí con su sombrilla
color de perla con encajes rosa,
si la miro, su sangre tumultuosa
le retoza en la diáfana mejilla.

Por verla me detengo, y la chiquilla,
como una colegiala maliciosa,
se recoge la falda rumorosa
y descubre la ebúrnea pantorrilla.

Mi alma, toda entera, se estremece
blandamente, lo mismo que se mece
el lirio acariciado por la brisa.

Y Mimí, con un modo que provoca,
vuelve la faz, en tanto que su boca
dibuja una diabólica sonrisa.

LIENZO ANTIGUO

Con la tez perfumada, color canela;
con el pie diminuto forrado en raso,
al girar por la rueda con lento paso,
no parece que baila sino que vuela...

Partida en dos la mata del negro pelo
que defiende el recato de sus orejas,
encurva mientras baila las finas cejas
como arcos de ventanas que dan al cielo.

Decidora la boca, roja y pequeña,
como un clavel del prado de la alegría.
¿Y los ojos?... Dos soles de Andalucía...
si no fueran pupilas de panameña!...

En un giro diabólico e imprevisto
abre en vuelos fantásticos la pollera,
en tanto que en el pecho le reverbera
la cadena que ostenta la cruz de Cristo.

Y se eleva de gracia, crece de hechizo,
mientras el ritmo indígena al cielo sube,
y entre blondas y encajes que forman nube
encarna una paloma del paraíso...

El mozo que la ronda llega... se aleja...
que es la pollera a modo de red traidora
en donde siempre atrapa la bailadora
el corazón rendido de la pareja...

El abuelo, que ve desde la ventana,
a la moza que baila, que casi vuela,
recuerda la inefable noche lejana
en que cayó en la grata red de la abuela.

Y se esponja de garbo, cobra prestancia,
y el abuelo tan grave, tan triste y cuerdo,
gira como sonámbulo, y por la estancia
baila con el fantasma de su recuerdo.

¡Oh! carnaval piadoso... Río sagrado
que corres a la inversa de todo río.
Pones llamas y fuego donde hubo frío,
resucitas al Lázaro del pasado...

BLASON

Apenas soy un pálido felibre,
y canto en versos claros lo que siento.
Ni cóndor ni león: estoy contento
con saber que soy hombre y que soy libre.

Hasta mi torre de marfil, sagrada,
ni llega el cieno, ni salpica el lodo:
bajo el peldaño de mi torre, ¡todo!
Sobre el peldaño de mi torre, ¡nada!

Como el Jesús de los sagrados cuentos,
voy a cumplir sereno mi destino.
Como a él, los que erizan mi camino,
mañana lamerán mis pies sangrientos.

Que alcancen otros la gloriosa palma
buscando sombras y siguiendo huellas,
porque yo, cuando quiero ver estrellas,
me asomo al infinito de mi alma.

Ni nunca el odio me dejó rencores,
ni el amor, con su halago, me domina,
pues sé que tras la flor está la espina
como tras de la espina están las flores.

Abierta el alma a toda primavera,
mi corazón, por dualidad gloriosa,
frente a frente al amor, es una rosa,
y encarado al combate, una bandera.

Como nada a mi estirpe martiriza,
ni nada turba mi real decoro,
tengo para el canalla, fusta de oro,
para el calumniador, una sonrisa.

En marcha imperturbable a un fijo Oriente,
desdeño el hombro de la muchedumbre,
porque aprendí hace tiempo que la cumbre
va conmigo, a la altura de mi frente.

Así sé que al nacer a otros albores
y al disgregarme en átomos dispersos,
lo mismo que hoy de mi alma salen versos,
de mi carne, mañana, saldrán flores.

TODO SE APAGA EN EL AZUL

Todo se apaga en el azul: la vela
que el viento curva en el confín marino
y el chorro melodioso y cristalino
del ruiseñor que da su cantinela . . .

Todo se apaga en el azul: la estela
del pálido lucero vespertino,
y el plumaje del cisne peregrino
que en el misterio de la tarde vuela...

El casto beso de la boca amada,
el fulgor de la última mirada,
la voz que canta en la alta noche umbría,

todo se apaga en el azul... y pienso
que hasta tu almita, tal como el incienso,
se ha de apagar en el azul un día.

INDICE GENERAL

INDICE DE NOMBRES

ST. JOHN FISHER COLLEGE LIBRARY
PQ7084 .S5
Silva Castro, Raul, 010101 000
Antologia critica del modernis
0 1219 0074713 4